# 这里是河北

## 山地绵亘

SHANDI MIANGEN

主编 丁伟 徐凡
著 徐德泉

河北出版传媒集团
花山文艺出版社
方圆电子音像出版社
河北·石家庄

图书在版编目（CIP）数据

山地绵亘 / 徐德泉著. — 石家庄：花山文艺出版社，2023.12
（"这里是河北"丛书 / 丁伟，徐凡主编）
ISBN 978-7-5511-0516-3

Ⅰ.①山… Ⅱ.①徐… Ⅲ.①散文集—中国—当代 Ⅳ.①I267

中国国家版本馆CIP数据核字(2023)第195107号

| 丛 书 名： | "这里是河北"丛书 |
|---|---|
| 主　　编： | 丁　伟　徐　凡 |
| 书　　名： | 山地绵亘 |
| 著　　者： | 徐德泉 |
| 出 版 人： | 郝建国 |
| 出版监制： | 陆明宇　李　利　唐　丽 |
| 出版统筹： | 李　彬　王玉晓 |
| 责任编辑： | 贺　进 |
| 特约编辑： | 蒋海燕　杨玉岭 |
| 责任校对： | 李　伟 |
| 封面设计： | 书心瞬意 |
| 装帧设计： | 李关栋　张　曼 |
| 美术编辑： | 胡彤亮　王爱芹 |
| 出版发行： | 花山文艺出版社 |
| | 方圆电子音像出版社 |
| 销售热线： | 0311-88643299/96/17 |
| 印　　刷： | 保定市正大印刷有限公司 |
| 经　　销： | 新华书店 |
| 开　　本： | 710mm×1000mm　1/16 |
| 印　　张： | 12 |
| 字　　数： | 134千字 |
| 版　　次： | 2023年12月第1版 |
| | 2023年12月第1次印刷 |
| 书　　号： | ISBN 978-7-5511-0516-3 |
| 定　　价： | 72.00元 |

（版权所有　翻印必究·印装有误　负责调换）

# 目录

融媒体电子书

https://h5.fangyuanpress.com/sd.htm

## 第一单元
# 山地多姿

| 壹 | 河北高度 | / 003 |
| 贰 | 太行壮美 | / 014 |
| 叁 | 燕山雄奇 | / 024 |
| 肆 | 坝上秘境 | / 038 |
| 伍 | 牧场广阔 | / 050 |
| 陆 | 天然风力 | / 056 |
| 柒 | 革命圣地 | / 063 |

## 第二单元
# 天成奇境

**壹** 丹霞奇景　　/ 068
**贰** 峰林嵯峨　　/ 088
**叁** 峡谷幽深　　/ 102
**肆** 桥为天生　　/ 117

## 第三单元
# 资源丰沃

**壹** 泥河石器　　/ 127
**贰** 石雕传承　　/ 135
**叁** 易砚考究　　/ 138
**肆** 奇石纷呈　　/ 142

## 第四单元
## 清凉世界

壹　避暑胜地　/ 149
贰　高原消夏　/ 154
叁　冰雪运动　/ 158

## 第五单元
## 冀景撷英

鸡鸣山　/ 172

狼牙山　/ 174

天桂山　/ 176

景忠山　/ 178

碣石山　/ 180

抱犊寨　/ 182

嶂石岩　/ 184

扫码听书

扫码看视频

第一单元

# 山地多姿

002 山地绵亘

## ▌壹 >> 河北高度 ▌

巡天遥看，河北大地上的太行山和燕山两大山系，犹如一部翻开的地理巨著，将山山水水怀抱记录在册，太行山是书之封面，燕山是书之封底。

**在华北平原上，燕山横亘于北，太行纵贯于西。**

燕山山脉贯穿河北北部的张家口、承德、秦皇岛三地。千里大山，群峰林立，起起伏伏，莽莽苍苍，成了京津冀北部的天然屏障。虽然说燕山山脉总体不算高大，但它整体粗犷，脉系雄浑，绵延千里，有雾灵山、祖山等风光秀丽的著名山峰抖擞雄姿。日月轮回，沧桑尽看，新韵生辉。当东升的太阳照耀燕山的时候，这里便成了我国北部大地上最美的风景。

◎ 左页图　燕山日落／视觉中国　供图

山地绵亘　004

太行山主要位于河北与山西、北京交界处，像条巨龙伏卧在华北大地西部，把河北与山西分在两边，用宽厚的脊梁担起黄土高原和华北平原。保定、石家庄、邢台、邯郸四市如镶嵌其间的明珠。

太行山山脉是我国地形中第二阶梯与第三阶梯的分界线，挺拔雄伟，蔚为壮观。

◎ 太行山云雾／宋现彬 摄

◎ 右图　云中太行／宋现彬　摄

太行山沟壑幽深，峭壁悬崖，层峦叠嶂。随便站在太行山一处，极目八荒，沟与壑、岭与峰，一层一层，山山相望，峰峰相对，岭岭相连，一幅幅巨型的水墨丹青令人目不暇接。

鸟瞰河北北部和西部，群山莽莽，大木苍苍。当我们把目光落在五座山峰上，那种自然伟力的鬼斧神工让人叹为观止。

在河北蔚县、涿鹿县境内，太行山深处，一座五峰突兀、巍峨挺拔的山峦直指苍穹。它由东、西、南、北、中五座山峰组成，五峰之间有高峻山脊连通。因峰顶皆为台状，故名"五台"。又因山西有名扬四海的佛教圣山五台山，只得以"小五台

山地多姿　第一单元　007

山"为名，又有"京门屏障"之称。小五台山以二千八百八十二米的海拔冠绝河北，这让我们产生类比和联想：如果喜马拉雅山的珠峰是世界的脊梁，那小五台山当之无愧挺起了燕赵脊梁。

小五台山山势高峻，气势磅礴，雄伟壮观，犹如五颗璀璨夺目的明珠镶嵌在河北峰巅。这里朝

岚夕烟，瞬息万变，风光绚丽，种种奇景，数不胜数。这里或树木葱郁，遮天蔽日；或绿草如茵，暖阳高照；或奇花异草，争奇斗艳；或云蒸霞蔚，变幻莫测。小五台山以"一山有四季、咫尺不同天"的壮丽奇景吸引着无数游客心生向往，前来探访。

小五台山国家级自然保护区沿恒山余脉走行，

◎ 下图　小五台山风光／视觉中国　供图

山地绵亘 010

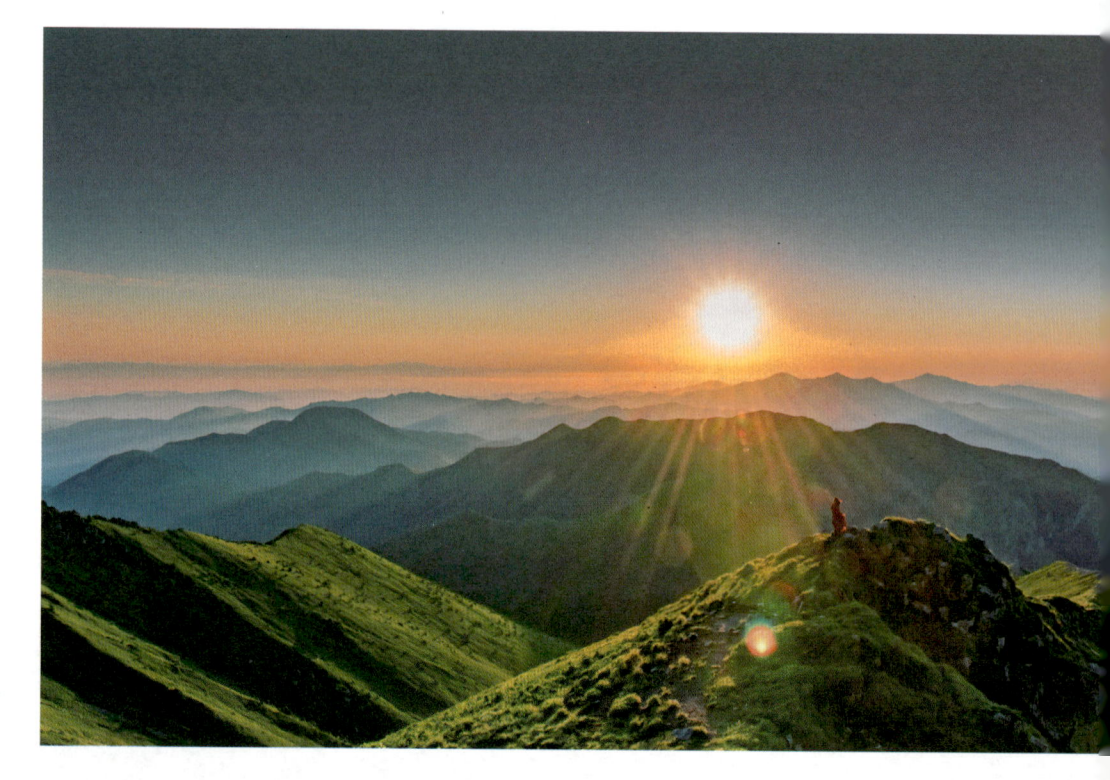

◎ 左上图　小五台山云雾／温斌　摄
◎ 左下图　小五台山日出／石峰　摄

东西长约六十千米，南北宽约二十八千米，总面积达到两万多公顷。这里有杨家坪、金河口两大风景区。景区内山峰险峻，怪石嶙峋，溪流清澈，森林茂密。在永冻界缘，前一脚还是温暖的草丛，后一脚就踏上寒冷的坚冰，风格迥异的自然景观令人迷醉。品"珍珠泉"，闯"一线天"，山泉从峭壁断崖上飞泻而下，像千万条闪耀的玉练，汇成一幕沿峡谷呼啸而下的水帘，飞珠溅玉，如鸣佩环。泉流地上形成的水潭，清澈见底，泉洒水潭，形成了朵朵白莲状浪花，为寂静大山增添了无限生机。小五台山山高路险，山顶有亚高山草甸。这里适合莎草科植物生长的时间虽然非常短暂，但依然形成了丰富的植被。

如梦如幻的景致，让人心旷神怡、其乐无穷，如进仙境，流连忘返。当小五台山连绵的山脊延伸到一个不再升高的地方时，出现了一块石碑，上面用红漆书写着几个字格外显眼——"东台2882"。

**这，就是河北的最高峰，也是整个京津冀的制高点。**

小五台山及其周边的山地，实际上是太行山与阴山、燕山交会形成的，地质学家将这里称为山结地带。这个"结"，使这里高峰林立。山结地带的意义，绝不仅仅是海拔高。在历史上，以燕山及其西延的山结地带为界，这片山地曾分属察哈尔、热河和河北三省。后来，历经多次行政区划调整，才有了今天在河北省内的版图。

虽然河北没有地理学分类意义上的高山（海拔三千五百米以上），但仅仅这一带，海拔两千米以上的中高山峰就有十七座之多，河北十大高峰中的前六座都在这里。远眺之余，俯瞰近处的山地，亚高山草甸为这里的山体铺了一层毛茸茸的地毯，像水墨画般层层叠叠、愈远愈淡……

◎ 右页图　小五台山光影／石峰　摄

第一单元 山地多姿

## 贰 >> 太行壮美

太行逶迤蜿蜒，山石成列成阵，苍莽壮观。

经过烈日与皓月狂热和温柔的亲吻，经过风暴霜雪凶猛而冷酷的捶打，太行山挺拔无语，神色凛然。

◎ 太行山峡谷／赵政雄 摄

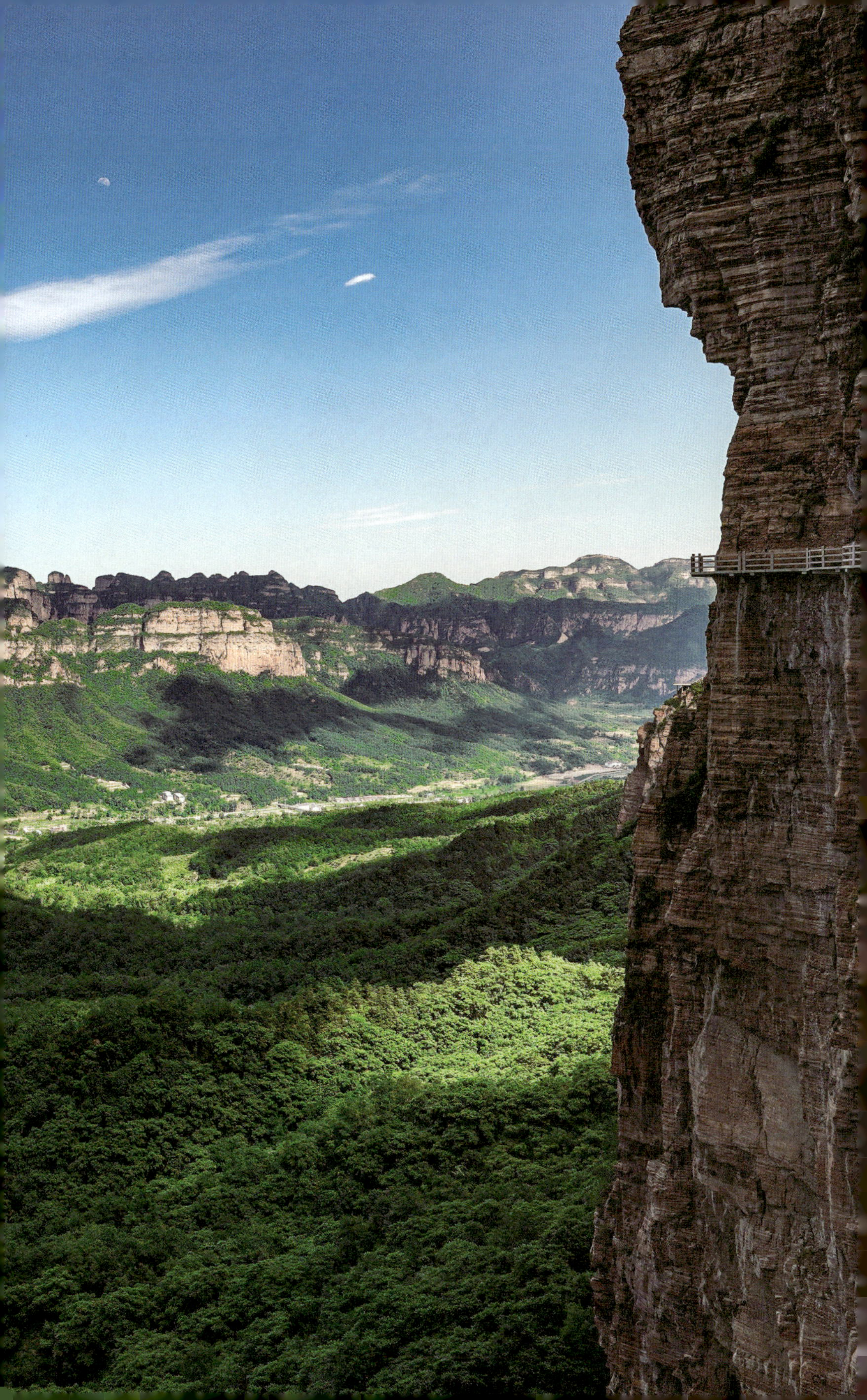

山地绵亘 016

行走在太行山里，随处可见绿浪滔天的林海，刀削斧劈的悬崖，千姿百态的山石，如练似银的瀑布，碧波荡漾的深潭，雄奇壮丽的庙宇，引人入胜的溶洞等，峰、峦、台、壁、峡、瀑、嶂、泉姿态万千，是北方山水风光的典型代表。各个景点有实有虚，有奇有险，鬼斧神工。

**八百里太行，在整个中国版图中，始终都是一种独特存在。**

它以小五台山为主峰，自东北而西南贯穿于中国大地的腹心，上接燕山，下衔秦岭，是黄土高原和华北平原的地理分界，也是从第二阶梯向第三阶梯的天然一跃，成为中国地形第二、三阶梯的分界之地。

对于华北平原而言，太行山不仅是一道屏障，还是这片沃土的物质来源。

◎ 左页上图 柿挂太行／高嵩 摄
◎ 左页下图 太行山览胜／宋现彬 摄

山地绵亘

发源或流经其中的拒马河、易水、瀑河、磁河、滹沱河……横切山脉，裹挟着泥沙冲出山口，冲积面成了最早形成的太行山山前平原。该平原位于太行山东麓、京广线两侧，在河北省包括保定、石家庄、邢台、邯郸四市及所属五十一个县的全部或一部分。太行山或可称为这片平原的"母地"。

◎ 太行山掠影／宋现彬 摄

◎ 右页上图　太行晚霞／芦延华　摄
◎ 右页下图　涉县太行山／申丽广　摄

由山脊线到华北平原，太行山自身也呈现为台阶状：中山、低山、丘陵、台地依次分布，落差明显，井然有序。

## 太行山把多彩的一面留给了河北。

太行山高速，北起北京门头沟，南接河南林州，第一次将被河谷切断的太行山从北到南紧紧串联在一起。在河北境内，它穿越张家口、保定等五市，连接起了多个 4A 级及以上景区。驱车沿着这条全长六百五十一千米的高速公路行驶，一路上，风光无限。你甚至不用进景区，就可以领略沿途山峡溪谷的韵味：或遥望山顶的风化奇石，或感受气候分界线的云蒸霞蔚，还可以沉醉于红色砂岩……一路饱览太行的无限风光，犹如穿梭于梦幻与现实之间。

山地多姿　021　第一单元

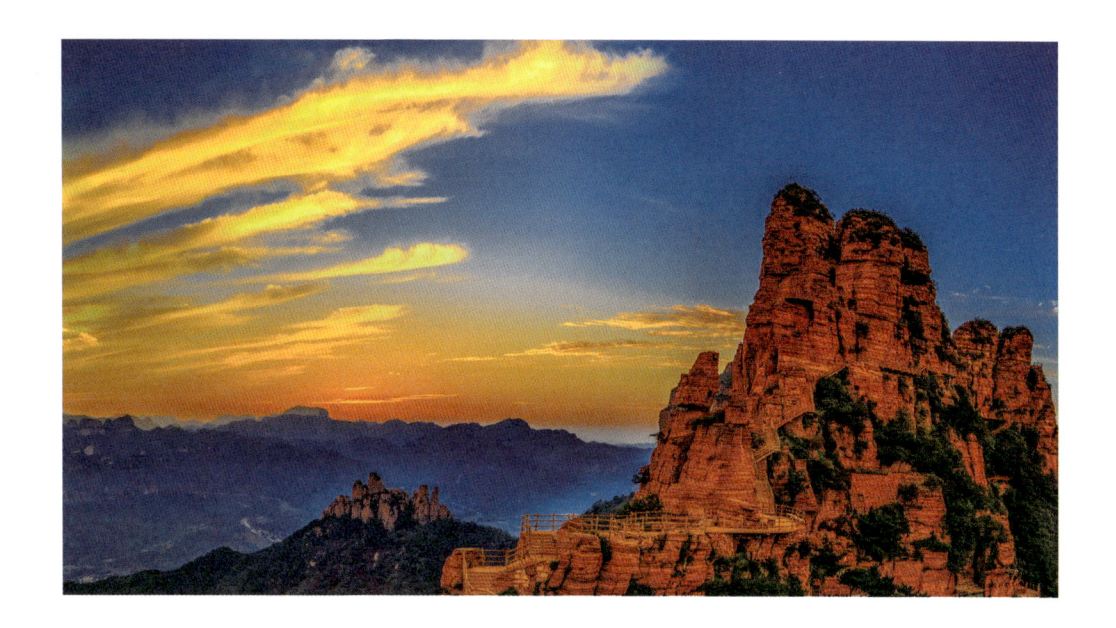

八百里太行山，不以山峰的高耸取胜，而是以崖壁横向展开、绵延不断的气势撼人心魄。因此，欣赏太行山，视角不是从上到下，或从下到上，而是从右到左，或从左到右。

太行山素以雄、奇、险、幽、秀闻名天下，自然和人文景观一个接着一个，精彩纷呈，各具特色。蓝天白

◎ 上图　太行山峰顶 / 宋现彬　摄

云下，群峰锦绣，草木葱葱，溪流潺潺，亭台楼阁随处可见……

　　太行山以豪迈的气势，屹立在华北这块神奇的土地上，见证着这块土地上万物的兴衰荣枯，见证着这里的人民顽强拼搏、开拓进取、不惧艰险、奋发向上的精神风采。

## ■ 叁 >> 燕山雄奇 ■

"燕山雪花大如席",李白在《北风行》中一句夸张的诗句,把人的思绪带到燕山之中。

不管你从哪条路走进燕山,目及之处,古木参天,藤蔓环绕;鸣泉飞瀑,白练凌空;兽走鸟跃,鱼游蝶舞……这就是燕山的迷人之处。

然而,在中原视角的文化语境中,燕山远没有太行山那样为人们所熟悉。这或许与人们对燕山的界定有关。

在学术界,燕山有狭义和广义之说。狭义的燕山,在北纬41°的滦平—承德—平泉一线以南,而广义上的燕山,还包括了此线以北、连接着坝上高原的冀北山地。

无论怎样定义,我们今天所到的燕山,已与最初地壳运动形成的那座绵亘山体相去甚远,远非当年面貌。在轰轰烈烈的地质运动中,燕山坚硬的山体就像一块没有变硬

◎ 右页图　燕山深处／视觉中国　供图

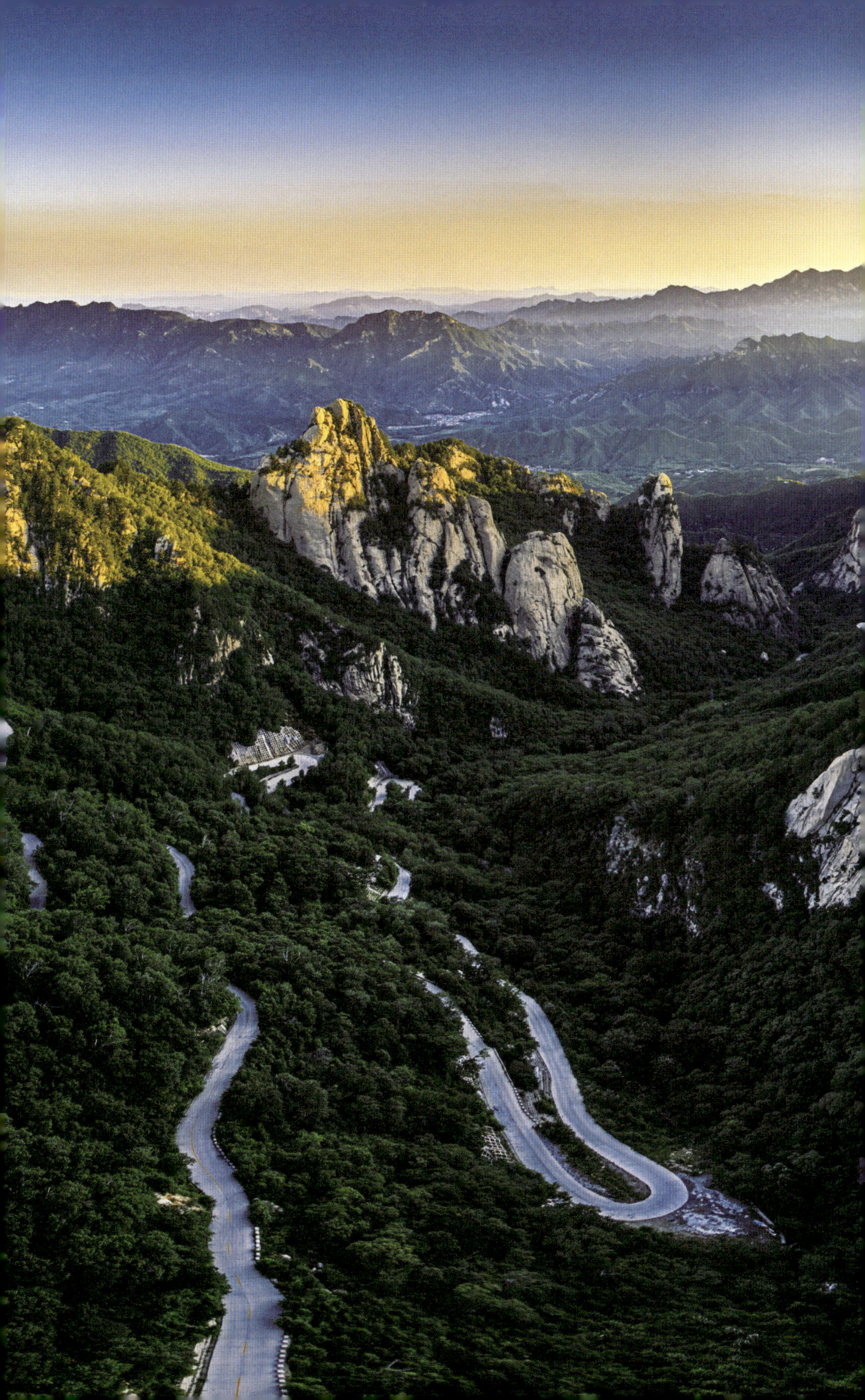

山地绵亘

的橡皮泥一样，经过降水和河流的切割，成为现在这种"支离破碎"的模样。

和太行山不同，燕山展现出了极其复杂的一面：山连着山，山套着山，即便有盆地、谷地，大多也很狭窄。燕山的最主要特征，实际上是有山无脉。它的地质构造线是东西向，但山体却呈现为一座座独立的山峰，没有一列山呈现出连贯的东西走向。

燕山山脉中，最具代表性的山地是桦皮岭。

◎ 左页上图　燕山群峰／视觉中国　供图
◎ 下图　燕山初雪／温斌　摄

◎ 右页上图　雪后桦皮岭／赵娟　摄
◎ 右页下图　金秋桦皮岭／刘建中　摄

桦皮岭南接崇礼，东临赤城，北靠沽源，位于张北县战海乡东南部，坐落在燕山余脉的大马群山之中，具有优越的地理位置，是距北京最近的天然高原生态观光区。这里地势险要，沟壑纵横，其主峰海拔二千一百二十八点七米，是京西最高峰，素有"子天山"之称。

## 夏天是桦皮岭最美的时节。

桦皮岭是夏季北方地区极佳的避暑胜地。慢行于群山林海之中，草木葱茏，层林叠翠，既可听鸟语看林涛，又可观百兽嬉戏。

承德境内的燕山通达性显著异于同处河北北部的张家口。从任何一个山口都可进入，走上几天，前面依然是山。由此，从平原进入燕山后常会被路所困扰。春秋时，齐桓公春天进山北伐山戎，冬季返回时却迷了路，最后只好放出一匹老马来寻找归途——"老马识途"的故事背后，折射的正是燕山"有山无脉"、地形复杂的特征。但就是这片山地，而今却在地图上被标成了颇为显眼的绿色。

第一单元 山地多姿 029

030 山地绵亘

兴隆县，清朝时曾被设为清东陵生态屏障的"后龙风水"禁区。三百多年的蓄养，加上今人的努力，使得兴隆县森林覆盖率在全省排名居前，有了"天然氧吧"的美称。得益于良好的生态与地理位置，国家天文台观测站便建在兴隆，其中尤以郭守敬命名的望远镜最为知名。

**兴隆县还有一处名胜——雾灵山，素有"三里不同天，一山有三季"之称。**

雾灵山地形地貌的复杂性，决定了其气候的多样性。这里时有"山下桃花山上雪""山下阴雨连绵，山上阳光明媚"的景象，堪称奇观。这里的诸多自然景观中，最壮阔的莫过于云海。来自东南的暖湿气流爬坡上升过程中，伴随气温下降，冷凝成雾，形成了变幻莫测、波澜壮阔的云海景观：无风时，云平山静；风势稍强，则云涌山呼，一派人间仙境气象。

其实，何止兴隆，燕山腹地，从塞罕坝到雾灵山，从东猴顶到辽河源，无处不生机盎然、郁郁葱葱。

◎ 左页图　层林叠翠（兴隆县）／焦俊国　摄

◎ 右图　东猴顶玛尼塔林／汇图网　供图

**位于赤城县的东猴顶是燕山群峰之首。**

东猴顶山势雄伟，高峦截云，层陵断雾。它北望坝上草原，南依首都北京，凌驾于方圆千里的崇山峻岭之上。在山顶上，有着俗称玛尼塔林的裸岩，还生长着鬼箭锦鸡儿这种罕见的植物。通往东猴顶的途中，山高谷深，有很多千姿百态的巨石，因此这里又被称作"十里仙境"。最具特色的是有"北方石林"之称的猴顶山石林，独特的喀斯特地貌，使石林或独立成形，或连片挺立，让人无不惊叹大自然的鬼斧神工。

东猴顶还有着丰富的野生动植物资源。这里的野生动物种类多、数量大，有国家级保护动物金钱豹、野猪、黄羊等，还有狐狸、狍子、獾子等其他

第一单元　山地多姿

034

山地绵亘

野生动物达百余种。在东猴顶景区有一处亚高山草甸，分布在海拔两千米以上的地方，素有"空中花园""百花草甸"之称。此处是塞北地区面积最大、保存最完好的亚高山草甸景观。

云雾山森林公园位于河北省丰宁满族自治县县城东南二十千米处的云雾山林场内，属山岳型自然景观，是燕山山脉第二高峰。因山高多雨，雾气弥漫，故得名云雾山，有盘山公路可直达山顶。云雾山森林公园与汤河源度假村、白云古洞相邻，和千松坝森林公园、京北第一草原遥相呼应。

云雾山植被茂盛，山谷中溪水成潭，山顶是一块高山草甸，中间有一眼清澈的泉水，四周草场茂盛，生长着地榆、黄花、金莲花及山韭菜等植物。

在这里远眺，除可领略山海林浪以外，远处的万里长城、密云水库也依稀可见。

如遇雨天，头顶艳阳高照，晴空万里，山下则云雾翻滚，雨丝如注，变幻莫测，如临仙境。

◎ 左页图　云雾山远眺／视觉中国　供图

金山岭长城是抗倭名将戚继光等人沿着燕山山脊，于四百多年前打造的堪称整个长城修建史上最精华的一段。故有"万里长城，金山独秀"之说。

　　金山岭长城，东起望京楼，西至龙峪口，全长约十五千米。城墙一般高七米左右，下宽六米，上宽五米，可容五马并骑。在这段长城上，敌楼、战台、铺房密布，其中敌楼和战台有一百五十八座。金山岭长城作为明长城中保存最为完整的一段，具有深厚的考古价

值，对研究中国明代的历史以及戚继光的生平具有重要意义。

　　走上长城，就走进了历史的机要处，感受历史的诡奇和沉重，体味长城的原生态和文化，仿佛这里的一砖一石都在讲述着曾经的故事。透过历史的尘埃，我们拼凑出那些片段，复原当年的社会风貌，捕捉时代脉搏的跳动，感受先人的思想和声音。

◎ 下图　金山岭长城／司明国　摄

## 肆 >> 坝上秘境

坝上素有"河北屋脊"之称。造山运动形成了特殊的地理环境，使这里多了一层神秘色彩。

山川风物多维多元，向无统一标准。坝上之美，有别于江南的锦绣细腻与精致典雅，是雄浑大气，粗犷苍茫，厚朴澄澈，自然天成。这里少有人工的机巧，地平线还是盘古开天时的模样，古朴而原始。

### "坝上高原是地壳整体抬升的结果，是'河北屋脊'。"

正因为这种独特的地貌景观，才有了一个形象的称谓——坝上高原。塞罕坝、宜肯坝、雪花坝、豪松坝……则是高原南缘那些可供上下的条条坝口。

所谓坝上，是一溜儿大山齐齐的，远看倒像是一座大坝。坝上坝下海拔高度悬殊，坝下七百米，坝上一千四百米，几乎是直上直下。这片土地是内蒙古高原深入河北版图的一部分，占河北全省面积的8.5%。

◎ 右页图　坝上（沽源）/程致江　摄

第一单元　山地多姿　039

◎ 坝上冬韵（丰宁）/ 高嵩 摄

山地多姿　第一单元

河北省最北部的塞罕坝，位于河北省承德市围场满族蒙古族自治县，按地形分坝上、坝下两部分。林区气候寒冷，冬天长，春秋短，夏季不明显，属寒温带大陆性季风气候。年均无霜期六十天，积雪时间长达七个月。

　　塞罕坝国家森林公园是中国北方最大的森林公园，蒙古语叫"塞罕达巴罕色钦"，意思是美丽的高岭。三百多年前这里曾生长着茂密的原始森林，清朝康熙年间被划入"木兰围场"，成为皇家猎苑。

　　塞罕坝现有林地面积一百一十五点一万亩，森林覆盖率75.2%，树种主要为落叶松、樟子松、白桦、云杉等。

◎ 下图　　塞罕坝雪景 / 林树国　摄
◎ 右页上图　秋日塞罕坝 / 崔重辉　摄
◎ 右页下图　雾锁塞罕坝 / 孙奇武　摄

山地多姿　第一单元　043

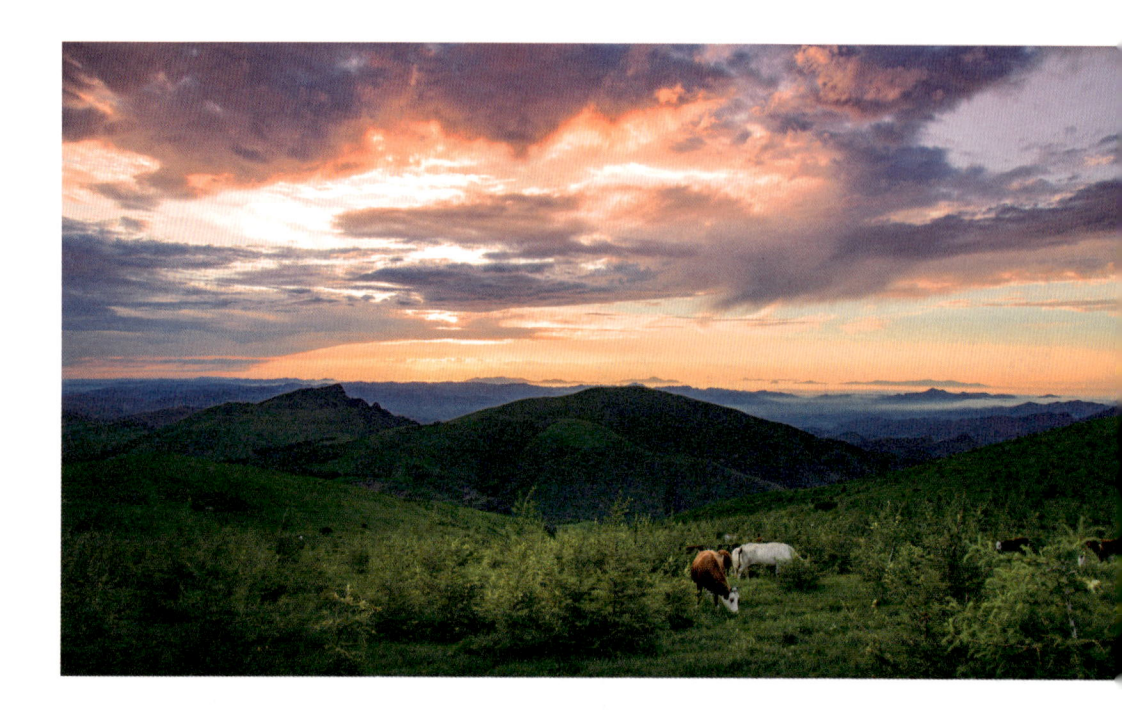

这里草原林海交相辉映，满蒙文化相互交融，一瓢滦水作壶浆，塞罕长赋难相忘。塞罕坝以其独有的林海草原，被誉为"中国绿色明珠"和"华北绿宝石"，是"水的源头、云的故乡、花的世界、林的海洋"。

坝上是欧亚温带大草原的一部分，北及内蒙古高原，南临华北大平原，自有一种开放的气质。森林、草原、湖泊、河流等特色地貌，与蓝天、白云、季节光影碰撞交织，绽放出气象万千的姿态，为河北增添了别样的景致。

坝上高原作为内蒙古高原向河北的过渡地带，不仅包括张家口、承德两市北部，还包括内蒙古自治区锡林郭勒盟和赤峰市的南部地区。

而河北的"坝上六县"中，只有张北、康保、沽源三县全部位于坝上，尚义、丰宁、围场三县只有部分在坝上。此外，坝上高原在河北境内还分布着塞北、察北、御道口牧场三个作为市级派出机构的管理区。

察北管理区隶属张家口市，位于河北省张家口市北部的坝上高原，与张北、康保、沽源三县接壤。早在约四千年前的原始社会，察北管理区境域已有人类活动，属细石器文化与仰韶文化接触区。

◎ 左页图　坝上草原／崔振远　摄
◎ 下图　张北坝上／郑新江　摄

046

山地绵亘

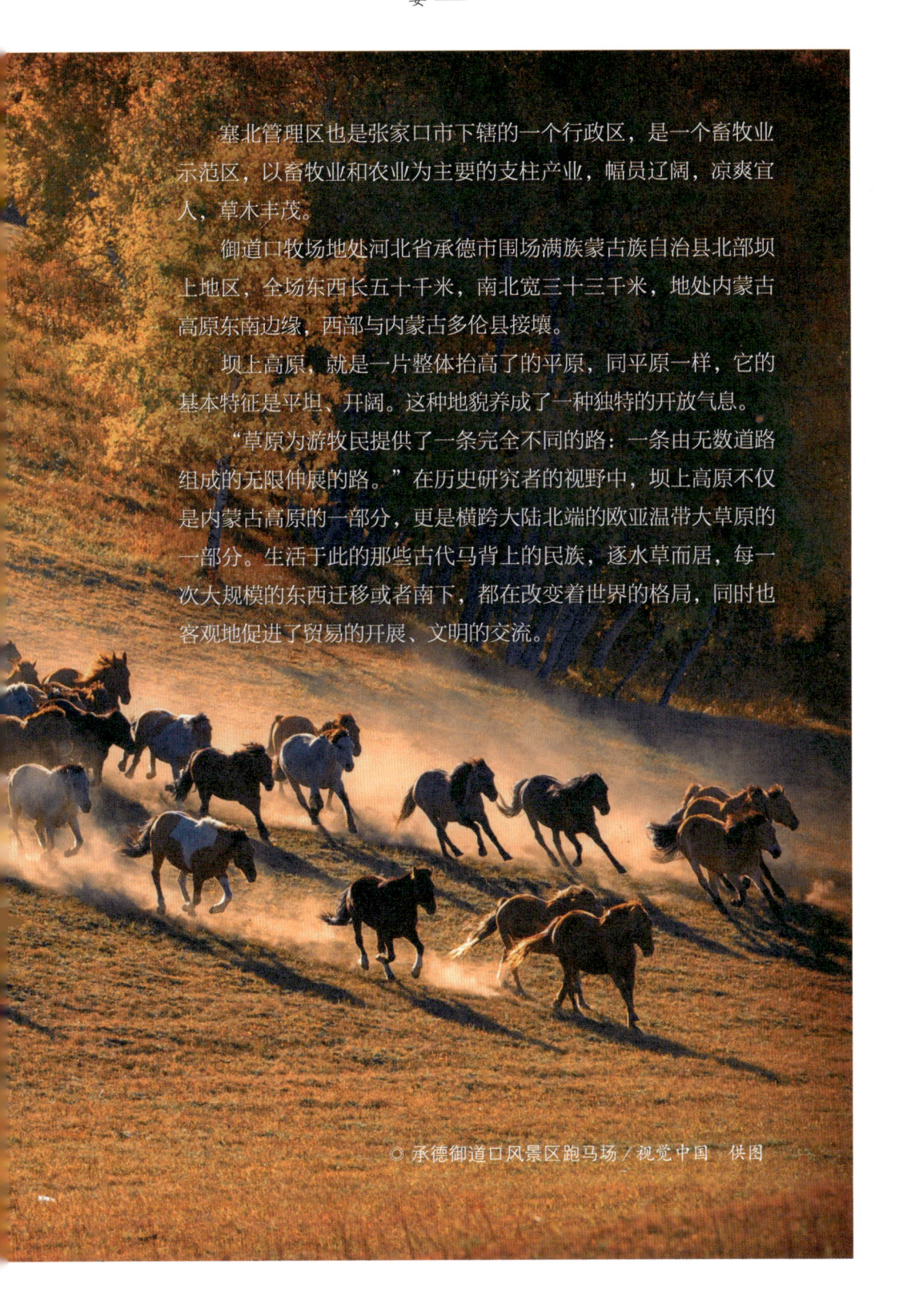

塞北管理区也是张家口市下辖的一个行政区，是一个畜牧业示范区，以畜牧业和农业为主要的支柱产业，幅员辽阔，凉爽宜人，草木丰茂。

御道口牧场地处河北省承德市围场满族蒙古族自治县北部坝上地区，全场东西长五十千米，南北宽三十三千米，地处内蒙古高原东南边缘，西部与内蒙古多伦县接壤。

坝上高原，就是一片整体抬高了的平原，同平原一样，它的基本特征是平坦、开阔。这种地貌养成了一种独特的开放气息。

"草原为游牧民提供了一条完全不同的路：一条由无数道路组成的无限伸展的路。"在历史研究者的视野中，坝上高原不仅是内蒙古高原的一部分，更是横跨大陆北端的欧亚温带大草原的一部分。生活于此的那些古代马背上的民族，逐水草而居，每一次大规模的东西迁移或者南下，都在改变着世界的格局，同时也客观地促进了贸易的开展、文明的交流。

◎ 承德御道口风景区跑马场／视觉中国　供图

经坝上高原到俄罗斯的茶叶之路，曾创造过辉煌。

**张库大道贸易高峰时运往俄罗斯的茶叶每年达十二万箱，而张家口的年进出口贸易额也曾高达一点五亿两白银。**

张家口市无论是坝下还是坝上的特产，如坝下蔚州贡米、镇边城核桃、宣化牛奶葡萄、万全绿豆饹馇，坝上干枝梅、河彩椒、山药、莜面、麻油，都历史悠久，盛名远播。

坝上有著名的"草原天路"，位于张家口市张北县和崇礼区的交界处，西起尚义县城南侧的大青山，东至崇礼区桦皮岭处，是连接崇礼滑雪区、赤城温泉区、张北草原风景区、白龙洞风景区、大青山风景区的一条重要通道，也是中国最美公路之一。

坝上，看似袒露，表面上一览无余，实则深藏秘密，等待来者带着一双发现美的眼睛，前来探秘。

◎ 右页图　张家口崇礼草原天路／郭烈辉　摄

山地多姿　第一单元　049

## 伍 >> 牧场广阔

坝上草原牧场，近处看，小草毛茸茸的、柔柔的，青翠欲滴。抬眼看，微风之下，小草软软的、绵绵的，像一波流水张扬恣意。

草原牧场就是一幅立体的画，一首无声的诗。

"天苍苍，野茫茫，风吹草低见牛羊。"诗情画意在视野里呈现，那茫茫如茵的绿地上，成群的牛羊低着头静静地吃草，它们的生活低调而安详，有种超然物外的洒脱……

在高原上，缓缓起伏的沙地、宽广平坦的草滩，绝非生长农作物的粮仓，而是牛羊成群的牧场。这是坝上高原的第一个特征。

◎ 坝上羊群（沽源）／视觉中国 供图

坝上草原属大陆季风高原气候，冬季漫长，夏季无暑，清凉宜人，7月平均气温24℃。这里水草丰茂，富饶美丽，冬夏分明，晨夕各异，乃旅游、休闲、避暑、度假的胜地。置身于草青云淡、繁花遍野的茫茫碧野中，似有"天穹压落、云欲擦肩"之感。

"得奶源者得天下"，告别老农垦模式，如今的塞北已初步形成了包含饲草种植、饲料加工、奶牛现代化养殖、粪污沼气发电、高端奶加工、兽药生产、包装配套、粪污资源化利用、工农业观光游等在内的新型产业链条，开始向国家示范牧场和草原公园全面转型。

◎ 下图　坝上草原牛群／侯静　摄
◎ 右页图　云中草原／刘泽祥　摄

张北县位于河北省西北部、内蒙古高原的南缘，处于华北地区连接内蒙古的咽喉地段，为坝上第一县。

其境域东西一百零九千米，南北七十千米，大致分为东南坝头区、西部丘陵区、中部平原区三个类型区。张北属中温带大陆性季风气候，是河北省日照条件最好的县之一。

山地绵亘

在张北县馒头营乡，"绿丘浑圆，旷野明丽，天穹海水般澄净，却又触手可及，仿佛站上屋顶就能扯下一团白云。水流梳顺了溪边青草、浪花叮咚；空气溜出花丛，沁人心脾……"这描绘的其实就是典型的波状高原。

滩梁相间，此起彼伏，这片形如波浪的土地，吸引元朝把一座都城建于此。1307年5月，元武宗海山继位仅十天，就下诏在此建元中都，次年8月落成，与大都（今北京）、上都（今内蒙古正蓝旗）并列为三都。

**草原上所有的颜色都绮丽，所有的眼光都温润，所有的小草都神秘，所有的鸣啾都是韵味很浓的诗。**

于是我想起了成吉思汗、努尔哈赤，也想起了老舍……草是草原的主体，草是草原最大的布景。满眼尽是纯净的绿，生命的绿，呼朋唤友，接连天际。当你摸着历史脉搏，不经意地举目，就可看见一队队铁血雄骑踏烟绝尘，奔腾而来。那些游弋健壮的身影便从历史纵深处一跃而出，抖落一地风尘，为你展示出一个征战四海的古老民族不屈不挠、所向披靡的英豪雄姿。

◎ 左页上图　张家口北草原天际线／视觉中国　供图
◎ 左页下图　云中草原／刘泽祥　摄

## 陆 >> 天然风力

一年两季一场风，从春刮到冬。这是对坝上风的真实描写。

坝上人们居住的老房子普遍又矮又小，里面用细黄土、外面用粗碱土，抹了一层又一层，这是人们与风抗争的策略和手段。而今，以风电为代表，坝上人对于大风，已经从过去的被动防护，转向了主动利用。目前，张家口市风电装机规模位居全国第一。

坝上现在是"风的故乡，光的海洋"。登高望远，草原辽阔如绿色海洋，而丘陵正是那起伏的波浪，遍布其间的风机，叶片在迎风飞旋，向人们昭示时代的变迁。

◎ 右页图　草原天路风车 / 视觉中国　供图

山地多姿 第一单元 057

山地绵亘 058

◎ 雾中风车 / 范升　摄

山地多姿 第一单元

◎ 右上图　草原天路风车／赵娟　摄
◎ 右下图　草原天路风车群／郭烈辉　摄

坝上在变，从衣食住行到生产方式都在变。过去人们都说"坝上有三宝，山药（这里指土豆）、莜面、大皮袄"，而今大皮袄已很少见，土豆的种植却有了新发展。坝上的土豆富含营养成分，从普通的食物，变成了现在极具经济价值的农作物，当地人都叫土豆"金蛋蛋"。

两百多年以来，晋、陕、冀、鲁等地的一代代拓荒者、边关徭役的军卒、跑草原做生意的旅蒙商、修庙筑城的泥瓦工、擀毡缝皮的皮毛匠以及乞讨者等汇聚到这里，带来了各地的习俗，也带来了各地的戏剧、民歌等民间艺术，造就了当地文化大融合的发展特色。

山地多姿  第一单元

山地绵亘

## 柒 >> 革命圣地

巍巍太行山翠峰连绵，悠悠柏坡湖碧波浩渺，革命圣地西柏坡，犹如一颗璀璨的宝石，镶嵌在太行的青山绿水、蓝天白云之间。

### 西柏坡，新中国从这里走来。

遥想当年，从嘉兴南湖启航的革命红船，从井冈山出发的红色纵队……经过二十八年的浴血奋战，一支革命的红色队伍，终于从延安转进到太行山中的西柏坡，迎接新中国诞生前的黎明。

◎ 左页图　革命圣地西柏坡纪念碑/李建民　摄

在这个小小村落，中共中央指挥了解放战争中的三大战役；颁布了《中国土地法大纲》，废除了封建土地制度；召开了党的七届二中全会，向全党提出了"两个务必"，让共产党人在"赶考"之路上时刻保持着清醒头脑。

西柏坡中共中央旧址，对外开放的主要有毛泽东、朱德、刘少奇、周恩来、任弼时、董必武等人的旧居，军委作战室，中国共产党七届二中全会会址，九月会议会址，中共中央接见苏共中央和上海人民和平代表团代表旧址，防空洞和中央机关小学旧址等。1982年3月，西柏坡中共中央旧址被国务院列为全国重点文物保护单位。

西柏坡，一个朴素的村庄，坐落在历史深处，坐落在我们敬仰的目光里，令人向往。

太行山中有太多的红色基地，它们为我们提供了源源不断的精神动力，砥砺着我们前行。

◎ 左页图　西柏坡湖畔／赵明明　摄
◎ 下图　西柏坡纪念馆／冯婷玉　摄

扫码听书

扫码看视频

第二单元

# 天成奇境

## 壹 >> 丹霞奇景

人们总是惊讶地质构造的伟力神奇，感叹山体的奇特怪异，赞叹山川的雄伟秀丽。

而以地质学专业的眼光看，只有了解了岩石性质、矿物成分、岩层和岩体的产出状态、接触关系，地球的构造发育史、生物进化史、气候变迁史，以及矿产资源的赋存状况和分布规律，才能揭示其美的内涵。

河北山岳，贡献了十一处国家地质公园、十一个国家级自然保护区、九家国家重点风景名胜区、六个国家5A级旅游景区，还分布着三项五处世界文化遗产。其背后的主要支撑要素，在于地貌资源丰富、类型齐全，如丹霞地貌、喀斯特地貌、花岗岩地貌、玄武岩地貌等。

地壳运动的内部力量和水、风等外部力量共同作用，为河北塑造了火山、熔岩台地、嶂谷、峡谷、天生桥等形态各异的地貌奇观。

◎ 右页图　嶂石岩—米崖／郭宪芳　摄

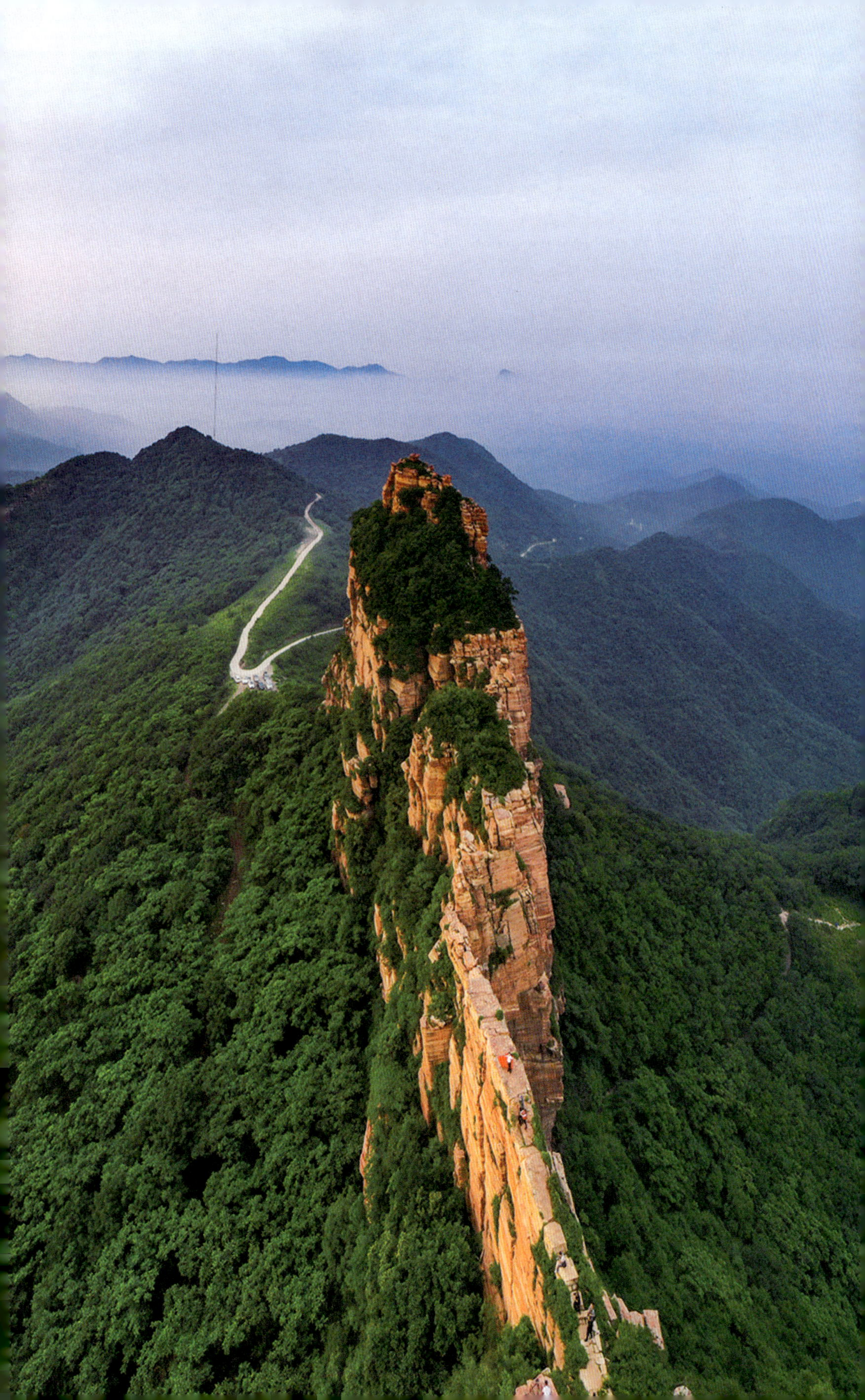

最为知名的便是嶂石岩地貌的标志性景观——赤壁丹崖。

赤壁丹崖在赞皇县嶂石岩纸糊套景区。嶂石岩景区呈南北带状，全长二十多千米，丹崖、碧岭、奇峰、幽谷相连，形成了"三栈牵九套，四屏藏八景"的景观。放眼多是幽谷深渊、奇峰怪石。明代诗人乔宇这样赞美嶂石岩：

◎ 上图　嶂石岩览胜／蔺荔青　摄

"岩半花宫千仞余，遥观疑是挂空虚。丹崖翠壁相辉映，纵有王维画不如。"

嶂石岩让人一改"山"的印象。它岩峰拔地而起，粗犷中透着怪诞，英武里藏着倔强，傲然地展示着一种令人心魂悸动的冷峻美、峭拔美、大气美。它不像南方的山地那样多与水相关联，养育着茂林修竹。看到嶂石岩会使人想起"风萧萧兮易水寒，壮士一去兮不复还"的诗句。

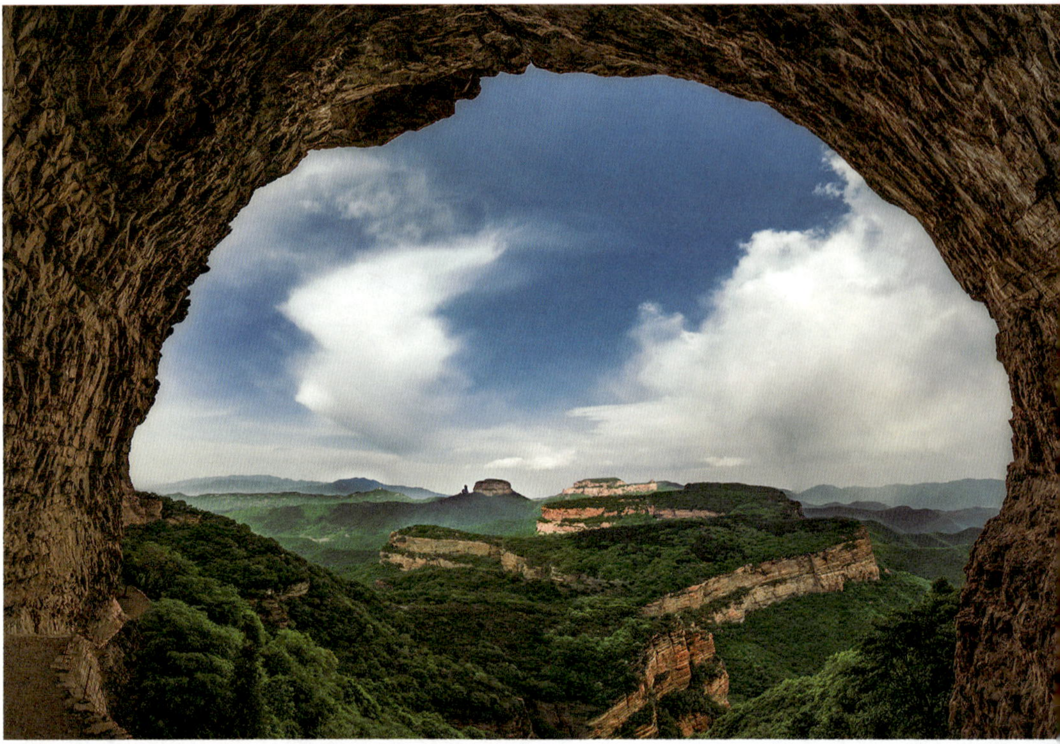
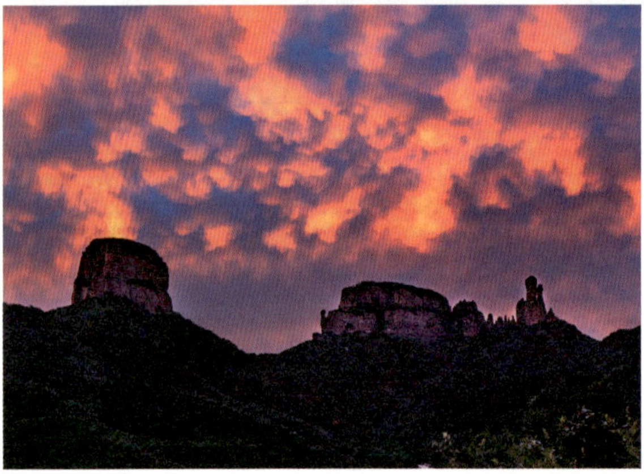
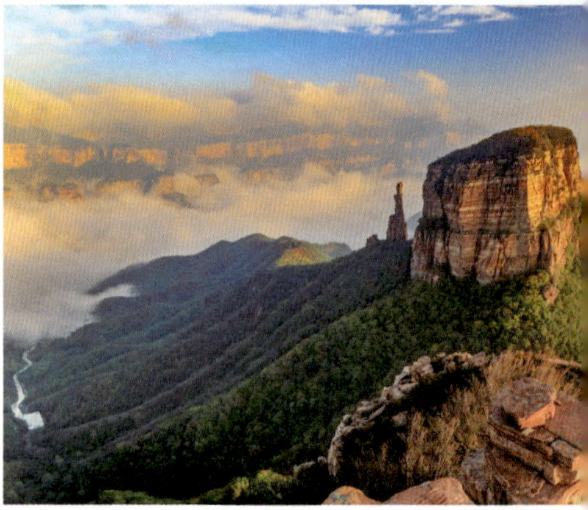
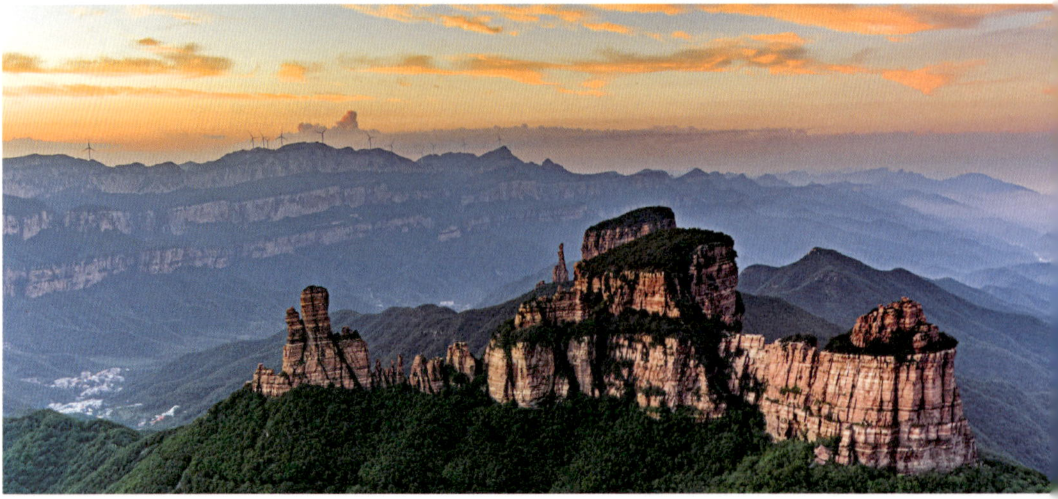

◎ 左页上图　嶂石岩天然回音壁／蔺荔青　摄
◎ 左页中左图　嶂石岩晚霞／张志红　摄
◎ 左页中右图　嶂石岩九女峰／王寒飞　摄
◎ 左页下图　嶂石岩一览／孙利人　摄

　　嶂石岩仁爱宽容，既生青松，也存杂树灌木；既给奇花异草以滋润，也予野草藤蔓以养料；既有狡兔狐鼠，也有昆虫种种；既爱鹰隼高歌，也容小鸟鸣啭。万物竞秀，充分展示其生命活力。

　　嶂石岩有四处绝景，知名度最高的当数天然回音壁，被誉为"全国最大的天然回音壁"，于1997年被列入吉尼斯世界纪录。

　　走进桶状的回音崖右弧时，就自然生发一种超自然的感觉。横瞅弧壁，巉岩密布，壁上苍黑、粉黄、紫红相间，妙不可言。
　　在回音壁，放开喉咙，大呼大喊，声音就像插上了飞翔的翅膀，在空谷飞翔，带着绵长的尾音，那喊声去而复回，如同游戏，令人忍俊不禁。一峰空谷，回荡着满满快乐。

正是嶂石岩地貌这一深藏于太行山中的地质宝库，从景观美学上给人们提供了欣赏太行山壮美的新视角，让人回肠百转，思绪呼啸。

在嶂石岩，那明暗，那光彩，那远近，那动静，都隐含了秩序。在不可言传的感悟中，你闪烁不定地看到万物有灵有知。一阵微

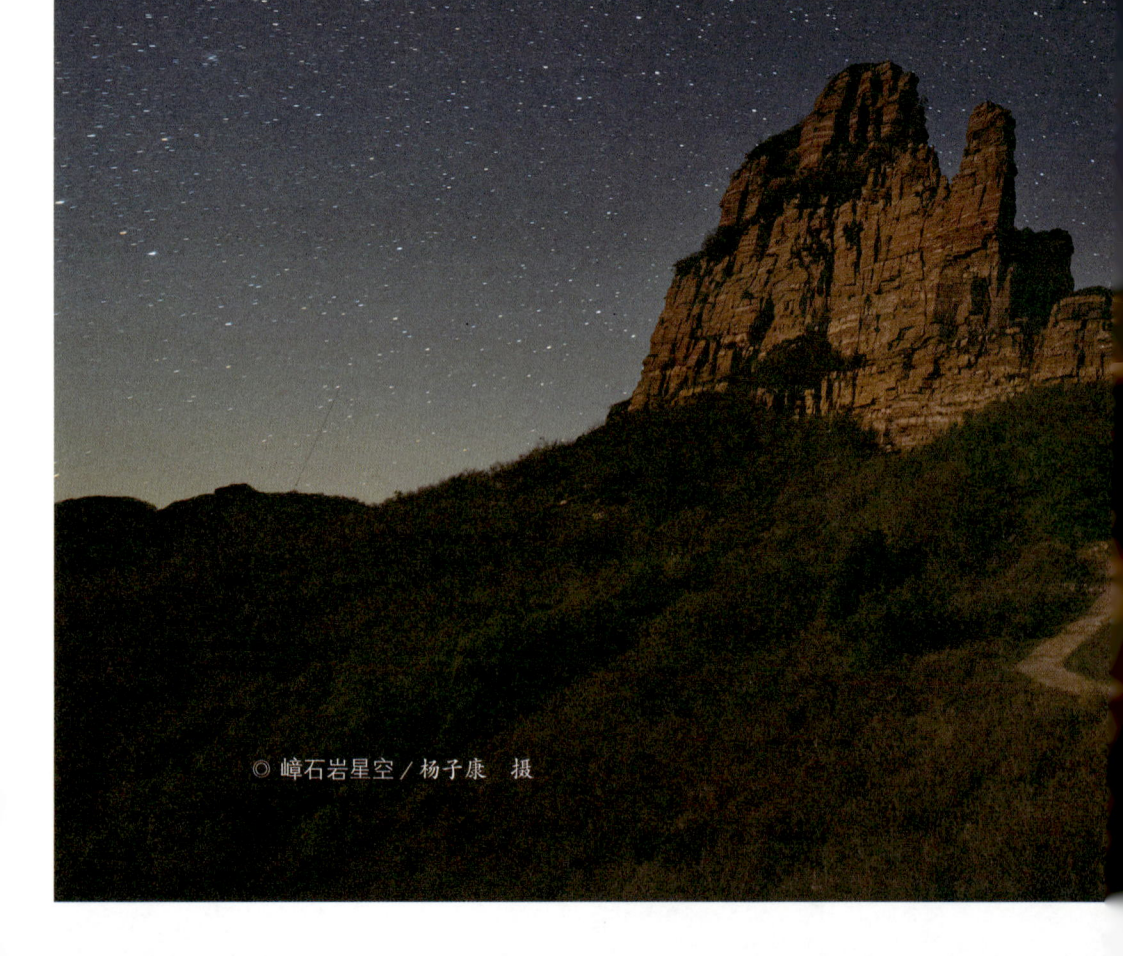

◎ 嶂石岩星空／杨子康　摄

雨，酿造了岚霭，岚霭又创造了空白，你在云来雾去中看见了悠远。站在高处看，奇峰从半空切割了阳光，山谷沉浸于诡谲的阴影。此情此景，你能神秘地感到嶂石岩好久以前在等你，与你缘结今生，早为你准备了满眼美丽的风景。

在过去，没人能破译赤壁丹崖背后隐藏的密码，甚至1988年嶂石岩景区建成开放后，这处风景胜地依然鲜为人知。

1992 年，地理学家郭康在《地理学报》上发表了自己的考察和研究成果，第一次把"嶂石岩地貌"这一概念推向学界。如今，河北嶂石岩地貌与湖南张家界地貌、广东丹霞地貌并称三大景观砂岩地貌类型。

中国三大景观砂岩地貌中,河北还有其二。

张家口赤城县,也有一道红色长墙属于丹霞地貌。因为主景区在后城镇,所以被称为后城镇丹霞赤壁,亦名四十里长嵯。

南坡村为进入该丹霞赤壁的最佳地点。近观赤壁,可见平坦的顶部,分层的地质结构,有形如卷帘状纵式岩石,有层层相叠的横式岩石,有分不清纵横的通体岩

◎ 下图　丹霞赤壁冬韵／视觉中国　供图

石。赤城的丹霞赤壁是一块通体高六百米的摩天巨石，三面绝壁，鬼斧神工，犹如刀削一般。从空中看后城镇丹霞赤壁，山体简单明快，约二十千米长的崖壁像条直线，纵贯于后城镇北部的山谷中。如果远眺丹霞赤壁，犹如一座巨大雄厚的赤色屏风巍然矗立，在骄阳下灿然生辉，异常壮观。

后城镇丹霞赤壁，史书称之为"幽燕第一峰"，现代人赞其为"北方第一大丹霞"。据说赤城县名就是因这幽燕第一赤壁而得。

在赤城之外，丹霞地貌还跳跃性地出现在丰宁喇嘛山、滦平碧霞山以及承德市周边等燕山腹地，因而成为燕山主要地貌特征之一。因丹霞地貌呈现的特殊色彩，故承德一带自古以来就有了"紫塞"之别称。

## 一南一北两道丹崖赤壁，看着相似，实则迥异。

对比之下，嶂石岩的落差更高，从底栈到顶栈，三段崖壁足有六七百米；而四十里长嵯，落差只有一两百米，却是一道崖壁直上直下。

赞皇与赤城两地丹霞地貌名同而质异。嶂石岩的崖壁，棱角分明；而四十里长嵯，却已被风雨磨平。构成岩石，看似相同，又有差异。二者虽然都属于沉积岩中的砂岩，但在岩性软硬上却存在显著区别：赤城丹霞地貌岩性较软，无论是陡壁、峰柱还是洞穴的轮廓线，都呈现出平滑、圆润的边界；而嶂石岩地貌，岩性刚硬，每种造型都保留着锋利的棱角。

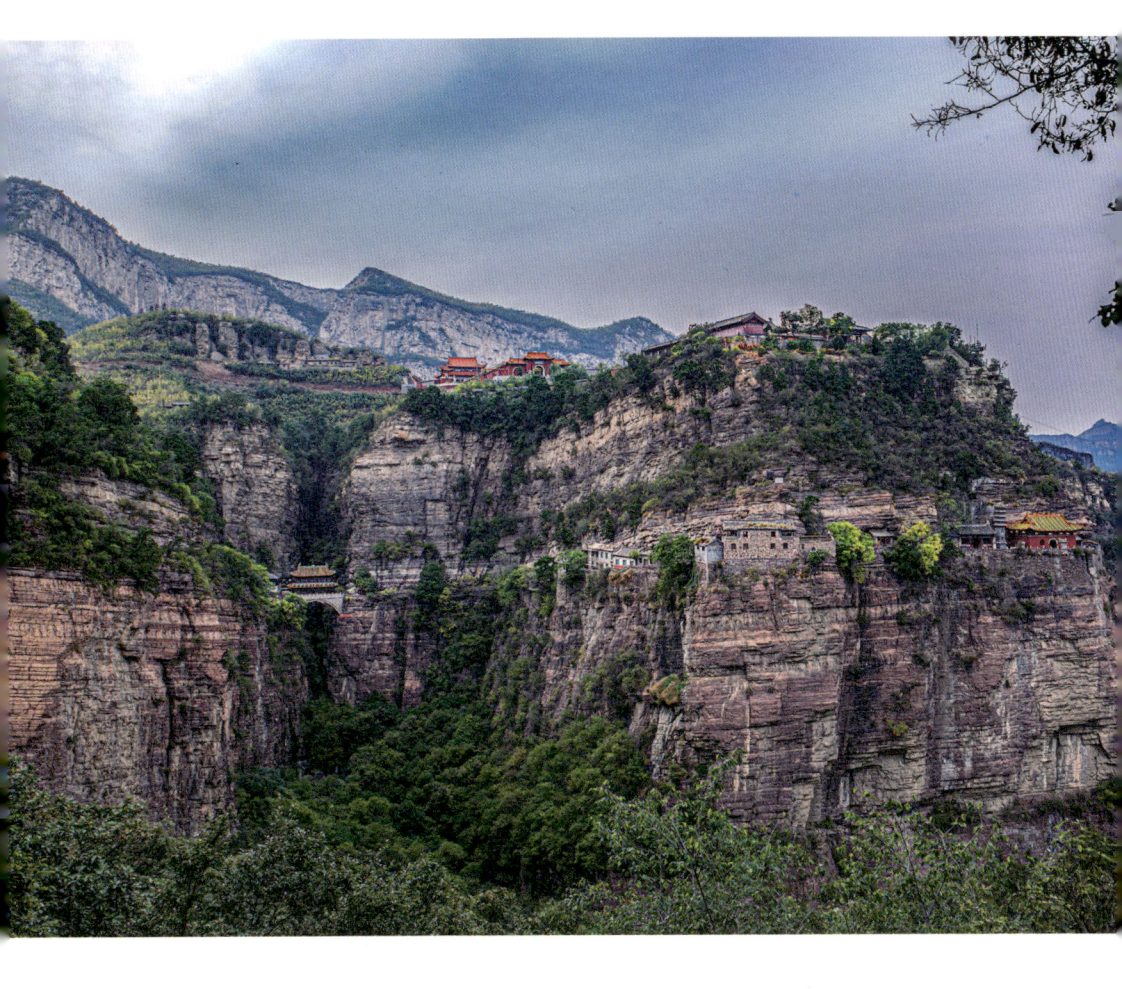

◎ 上图　苍岩山览胜／丁建军　摄

  其实，在太行山脉中，北起井陉的苍岩山，南迄涉县的冀豫交界，这种地貌断断续续在多处出现。

  苍岩山位于石家庄市井陉县境内。相对于太行诸峰而言，苍岩山虽不算高，海拔只有一千多米，但是其雄奇

山地绵亘 080

雪后苍岩山／李见雨 摄

第二单元 天成奇境 081

程度却不落下风。其奇、峻、险、雄尽显独特。身处苍岩山，随处可见极陡极高的悬崖，崖间树木古老苍翠，掩映在斜阳下，更显沧桑；又可见清澈山泉，或于陡崖之上，飞流直下，或在山谷之中，悠然流淌。所谓"万景临诸壑，千峰拱上方"，便是古人对苍岩山的绝佳赞誉。

喇嘛山风景区位于承德市丰宁满族自治县土城镇。

## 景区内共有大小石峰多处，主峰远看似一诵经喇嘛面壁打坐。

山上危崖峭壁，直耸云霄，雾霭过处，风景缥缈。主峰内多峭壁，远望如垠，如垛口，如炮台，分布着众多柱峰、悬崖、禅洞、怪石、鞍马石刻，俨如一条时光画廊。喇嘛山景点众多，景色迷人，变化万千，有"十里画廊"之称。这里除佛珠洞、冰臼公园、甘露禅院、大觉禅寺外，主要还有摩崖造像、马鞍石、神劈石、刀砍石、镇山印、九女峰、窟窿山等景观，让人流连忘返。

碧霞山位于承德市滦平县长山峪镇西营子村，距滦平县城九千米。这里奇石林立，山体峻峭，悬崖栈道，洞穴通幽，群山环抱，是典型的侏罗纪丹霞地貌。

丹霞地貌中岩性之"软"，还成就了承德丹霞十二名胜：磬锤峰、双塔山、元宝山、鸡冠山、僧冠峰、蛤蟆石……大自然的鬼斧神工，让那些砂砾岩山幻化出了多姿多彩的形态。

◎ 右页上图　丰宁喇嘛山／视觉中国　供图
◎ 右页下图　双塔山／金宝玉　摄

083 第二单元 天成奇境

在承德武烈河东岸，高高耸立着一根上粗下细的峰体，峰柱形似棒槌。

郦道元在《水经注》中称它为"石挺"，当地居民称其为棒槌山。这就是磬锤峰。

◎ 双石胜景 / 张乃礼　摄

磬锤峰所在的山体有四条沟谷，沟谷中的流水会向源头方向不断侵蚀，山体随之出现崩塌，剥落的碎块被洪水冲走，日削月磨，最后只留下孤峰一座。而孤峰的根部，易受风蚀，最终形成了目前的奇异景观。

在磬锤峰的东南端，隔一条山谷，有一块巨大的岩石，踞于群峰之巅，似一只青蛙欲跃苍穹，张口昂首，背部凹凸的卵石为钙质所覆盖，光滑而明亮，故名蛤蟆石，是承德十大自然胜景之一。

山地绵亘

僧冠峰位于承德市市区正南，峰顶形似僧帽，乾隆皇帝题名"僧冠峰"。僧冠峰景色秀丽，武烈河水从山脚下蜿蜒南流。夏秋朝暮之际，云雾升腾，似薄纱轻绢，清丽淡雅；严冬雪后初晴，若皎然寒玉，别有一番天地。登上僧冠峰，锦绣山城尽入眼底。

鸡冠山位于承德市东南上板城镇。鸡冠山又名五指山，沿武烈河南下，越过滦河河谷，进入石门沟直抵鸡冠山下。其山为东西走向，海拔八百二十五米，由凝灰质泥岩和凝灰质砾岩构成。由于此山的岩石产状水平，节理垂直，因而沿着南北又将此山分割成高低略有差异的数段。

**丹霞地貌成就了河北地质多样性，增添了河北山河之气度，造就了让人叹为观止的风景。**

◎ 左页图　鸡冠山晨雾／张乃礼　摄

## 贰 >> 峰林嵯峨

老子骑驴出函谷关，李白溺水吻月，苏子泛舟赤壁……古人受制于交通工具，许多山水无法到达。

而今天的我们，借助现代化的交通工具，能走进太行山、燕山腹地，感受峰林竞秀、万柱擎天的磅礴气势。

白石山，位于保定市涞源县城南，是太行山最北端，由一百多座高低错落又相对独立的山峰组成，主峰海拔二千零九十六米。战国时岭分燕赵，辽宋时山分两国。白石山因山体遍布白色大理石而得名，为大理岩构造的峰林地貌。白石山山体高大，少曲线，多棱角，落差大，密度大，有"三顶，六台，九谷，八十一峰"，最高峰是华北平原西北隆起之首。白石

◎ 右页图　俯瞰白石山／视觉中国　供图

第二单元 天成奇境

山地绵亘

© 白石山秋叶 / 刘勋 摄

山地绵亘

◎ 左页上图　白石山峰顶/冯婷玉　摄
◎ 左页下图　白石山云雾/冯婷玉　摄

山景区被联合国教科文组织批准为房山世界地质公园的一部分。

　　怪石、云海、绝壁、溪流、瀑布、森林草木，你能想到的所有山中美景，白石山可谓应有尽有。有语云"山多白石，连峰纵拔，秀列若屏，时有晴云游曳其上"，便是对它最好的概括。

　　白石山之怪，七分皆在怪石。在海拔一千八百五十米这个高度，才能欣赏到白石山的峰林景观——构造裂隙形成如刀劈般的悬崖岩壁和巨大菱形石柱。它们扎堆儿出现在山脊之上，大多直上直下，如同刀削斧劈。

　　**这是我国唯一一处由大理岩形成的峰林地貌。故有人说白石山具"黄山之秀，华山之险，张家界之奇"。**

　　白石山是大自然的奇妙山水构思，它是一组富有禅韵的风景组合，是沧海桑田之结晶，是妙手丹青笔下荡气回肠的千古画卷。

　　燕山之中的祖山，也是白石构成的，却另成景观。

　　祖山位于秦皇岛青龙满族自治县境内。因渤海以北、燕山以东诸峰均由它的分支绵延而成，故称"群山之祖"。此山四季分明：春季繁花似锦，百鸟争鸣；夏季风凉气爽，云蒸霞蔚；秋季红叶满山，野果飘香；冬季银装素裹，玉树琼花。祖山被誉为"塞北小黄山"。

**特殊的地质运动过程使祖山地貌复杂多变，形成各种奇峰怪石。**

◎ 上图　祖山云海／视觉中国　供图
◎ 右页图　祖山春色／张丽　摄

第二单元 天成奇境

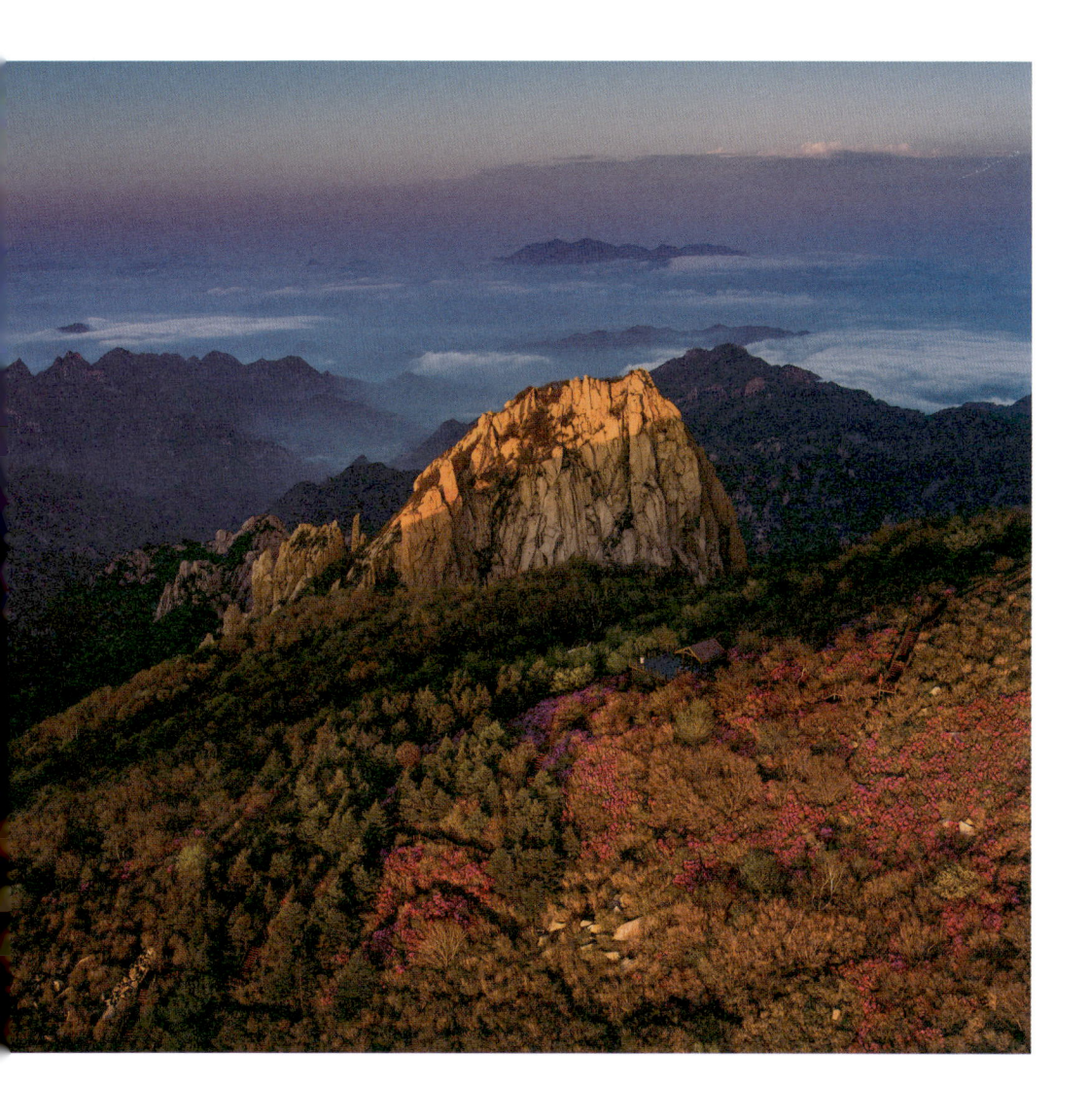

现已考察发现的有六十余处景观：北天门的"唐僧盼徒""八戒寻兄"，天女峰脚下的"李纨教子""太虚幻境""金陵十三钗"，北龙潭飞瀑两岸对峙的"伯牙弹奏""子期听琴"，惟妙惟肖的"山字峰""神龟探海""仙女云床"，山间飞舞的"金孔雀"，耸立路旁的"五人岭"，昂首云头的"鹰嘴岩"……

祖山是国家珍稀植物和濒危野生动物自然保护区。山上植被覆盖率高，有四百多种野生中药材和各种野生果蔬，如生长在高山之巅的天女木兰属国家二级珍稀植物。

云蒸霞蔚（祖山）/ 张双来 摄

在河北的峰林岩柱地貌中，最令人称奇的，恐怕要数玄武岩石柱。

在张北县大圪垯村北，一处低缓山坡上，布满了高低错落的石柱。石柱露出地面不高，截面多为六角形，像人工雕凿出来的一样工整。

这些石柱所经历的岁月已亿万斯年。石柱群是在岩浆向地面溢流过程中，在均匀冷

◎ 下图　张北石柱群／视觉中国　供图
◎ 右图　古火山口石柱／路大宽　摄

天成奇境 099 第二单元

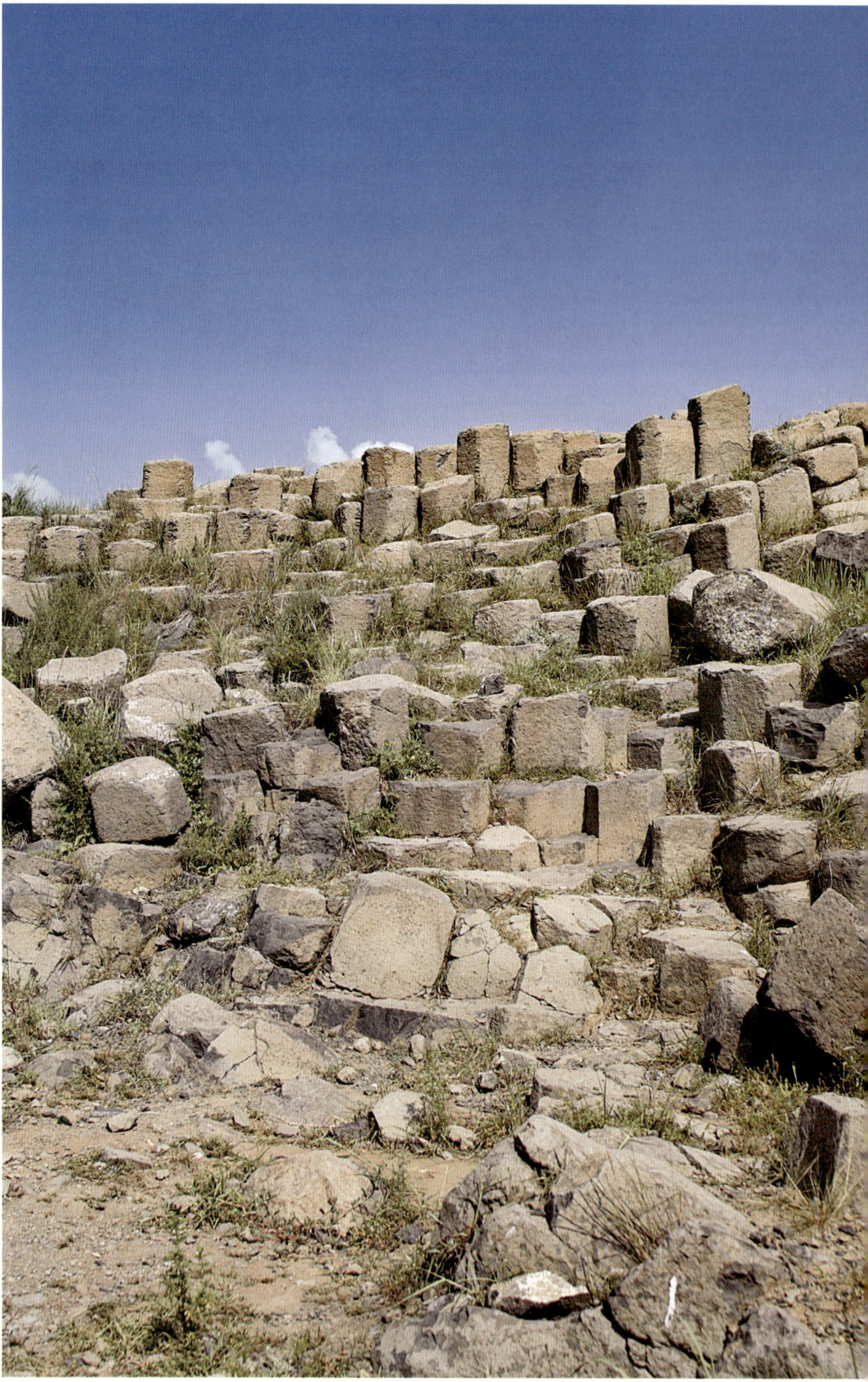

◎ 左页图　张北县的玄武岩石柱／视觉中国　供图

却及缓慢收缩的条件下生成的。一公里外，环状山丘的另一侧，黑色的玄武岩石柱以一种更加令人震撼的姿态出现了。几百米宽的采石剖面上，密密麻麻地布满了二三十米高的石柱。这些石柱不是常见的直上直下，而是带有近"S"形的弧度，其具体成因目前尚属未解之谜。

穿行于河北峰林之中，在力与美的光影里，群峰横亘在茫茫无边的岁月长河中，在沉思中沉淀，在演衍中永生，以开天辟地为生命原初，以永驻乾坤为生命归宿，让人感受生命之光与史前力量的辉煌。

## 叁 >> 峡谷幽深

大自然是位卓越的雕塑家,地壳运动和岩浆活动是塑胎的过程,而水流则是他手中的刻刀。南北走向的太行山,就被他雕刻出了无数东西向的沟谷。由此,多峡谷,就成为太行山的一个主要特征。

**在河北邢台市,分布着一片被誉为"太行奇峡"的峡谷群。**

这些峡谷是嶂石岩地貌最雄奇的天然峡谷群,以狭长、陡峻、幽深、集群、赤红而闻名,为八百里太行一大奇观,被誉为"世界奇峡"。邢台峡谷群有三奇:一奇谷低狭深,二奇峡岸壁立,三奇成群出现。这里既有北方山岳的雄伟,又有南方山水的秀美。

邢台天河山,奇峰林立,峡谷幽峻,因水源丰沛,山内群瀑如林,有"太行水乡"之称。

◎ 右页图　邢台天河山／冯婷玉　摄

第二单元 天成奇境

山地绵亘

◎ 左上图　云梦山秋色／王寒飞　摄
◎ 左下图　邢台天台山一览／视觉中国　供图

　　邢台云梦山，景区恍如一把大肚茶壶，神秘莫测，被称为"壶天仙境"。其山势险峻，瀑布腾泻，银花四溅，被誉为"北方九寨沟"。相传，战国时期，鬼谷子曾隐居此山，修道授徒，孙膑、庞涓、苏秦、张仪、毛遂等在此拜师学道。今红碾盘、神仙脚印、讲经洞等遗址尚存。

　　云梦山主峰地貌奇特，山势怪异，自下而上分为碧溪幽谷"下壶天"、峭崖飞瀑"中壶天"、水帘仙洞"上壶天"、天上人间"天外天"。人进入景区，恍如进入一把大肚茶壶中，只见四面山势峭拔，赤壁翠崖，头顶只一片圆天。代表景点有水帘洞、讲经洞、九瀑十八潭。

　　邢台临城县境内的天台山风景区包括大平台、五谷仓、石柱峰、天眼山、九尖山等诸峰。天台山虽然海拔不高，但是登临远眺，远处的群山遥遥在望，低处的平原丘陵尽收眼底。

眺望天台山，它仿佛一尊首东而足西的巨型卧佛静静安睡在青山霞屏之中，真可谓山是一尊佛，佛是一座山。

天台山山体由红色石英砂岩堆积而成，是典型的嶂石岩地貌特征景观。天台山经历了气候的剧烈波动、洪水暴雨的侵蚀等一系列重力与流水的共同作用，整座山峡谷陡峭，崖壁刀削斧劈，山石姿态万千，林海绿波荡漾，瀑布如银似练。天台山就像大自然手中的如椽巨笔为世间撰写的壮丽山水诗篇。

八百里太行，堪称奇观的峡谷还有很多。涞水野三坡位于太行山脉和燕山山脉交会处，是5A级国家重点风景名胜区。

**它是华北地质活动历史的缩影，雄踞于紫荆关深断裂带北端，以奇险俊秀的冲蚀峡谷地貌、巍然屹立的花岗岩断裂结构和幽深曲折的溶洞构造而闻名遐迩。**

在各方的悉心建设与开发下，这里已成为融雄山秀水、奇峡净泉、历史古迹、民俗文化于一体的自然原生态风景地。

◎ 右页图　春日百里峡／曾东　摄

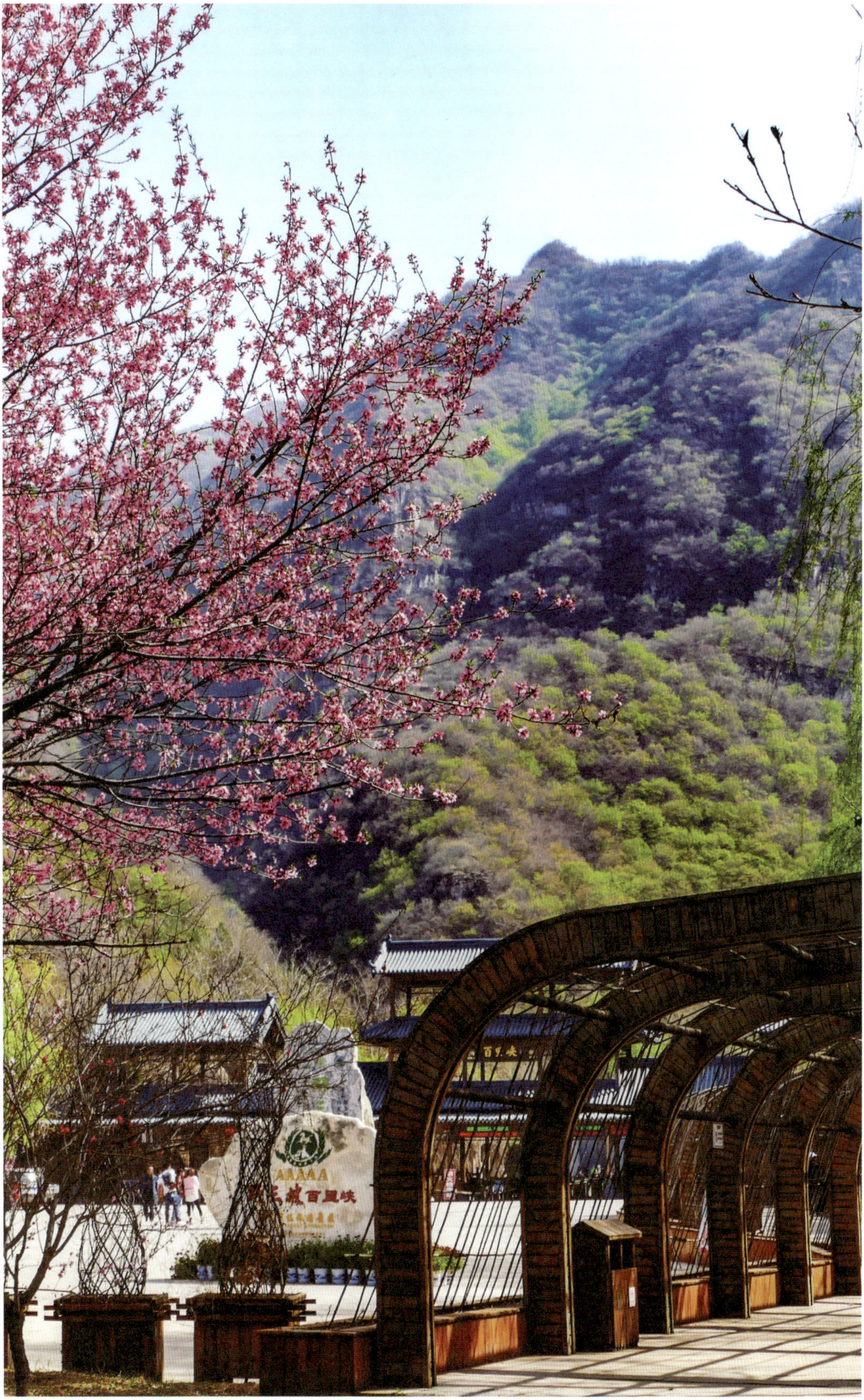
AAAAA
百里峡

山地绵亘 108

◎ 野三坡／视觉中国　供图

天成奇境　第二单元

山地绵亘 110

野三坡风景区由七个主要景点构成。有"北京的后花园"之称的清泉山风景区;有"天下第一峡"美誉的百里峡自然风景游览区;有"百里画廊"般风光秀丽的拒马河避暑疗养游乐区;有"太行山中的绿色明珠"百草畔原始森林保护区;有"层层有景、洞洞相连"的鱼谷洞泉游览区;有文化盛宴火秀剧场和"疆域咽喉"——龙门天关长城文物保护区。

百里峡景区是野三坡最负盛名的旅游景点。它以纯净的原生态景观、幽静奇险的地貌特征、茂密独特的森林植被,以及周到有序的旅游服务,成为京西旅游景点中最受欢迎的度假胜地之一。

峡谷蜿蜒曲折,景点众多,由三条幽深的峡谷——海棠峪、十悬峡、蝎子沟组成,总长一百零五里,故有"百里峡"之称。

"幽峡三道藏绝景,虎嘴天桥一银河"即对百里峡胜景最真实的写照。

◎ 左页图　百里峡峡谷／视觉中国　供图

山地绵亘

一进峡谷，立刻感觉两侧山峰"挤压"而来。两边的冲天绝壁直上直下，谷壁与谷底近乎垂直，真的是"双崖依天立，万仞从地劈"。

这里的峡谷不同于人们平常所见，被称为嶂谷，其特征就是深度大于宽度，两壁更加笔直，底部沉积物较少。其中的代表性景点"一线天"，上百米深的嶂谷中，最窄处仅有零点八三米

"一线天"景观并不罕见，但百里峡的神奇在于，嶂谷形态贯穿始终，一路走来，都是窄涧幽谷，百里天光一线。

### 如此狭窄的嶂谷是怎样形成的呢？

距今两亿年前，剧烈的地质运动中，百里峡

◎ 一线天／视觉中国 供图

◎ 右上图　野三坡月照／曹树军　摄
◎ 右中左图　百里峡流水／视觉中国　供图
◎ 右中右图　远眺百里峡／视觉中国　供图
◎ 右下图　野三坡幽径／视觉中国　供图

一带的岩层，产生了很多巨大而直立的裂隙。这些裂隙彼此交错，近乎"格子状"，成为山体的"软肋"——最易被水流侵蚀剥落的地方。

后来，望京陀不断隆起，雪水、雨水以及间歇性山洪顺其北坡急剧而下，不断冲蚀，最终形成了今天所见到的三条嶂谷。

实际上，百里峡中，不仅有发育成熟的嶂谷，还有着嶂谷的雏形，更在"老虎嘴""押牛湖"等景点保留了地壳抬升和水流冲刷的痕迹。

在大自然面前，水真的是一把锋利刻刀，于无形之中将山雕刻成了艺术品，完工后却独自东流，归于大海。

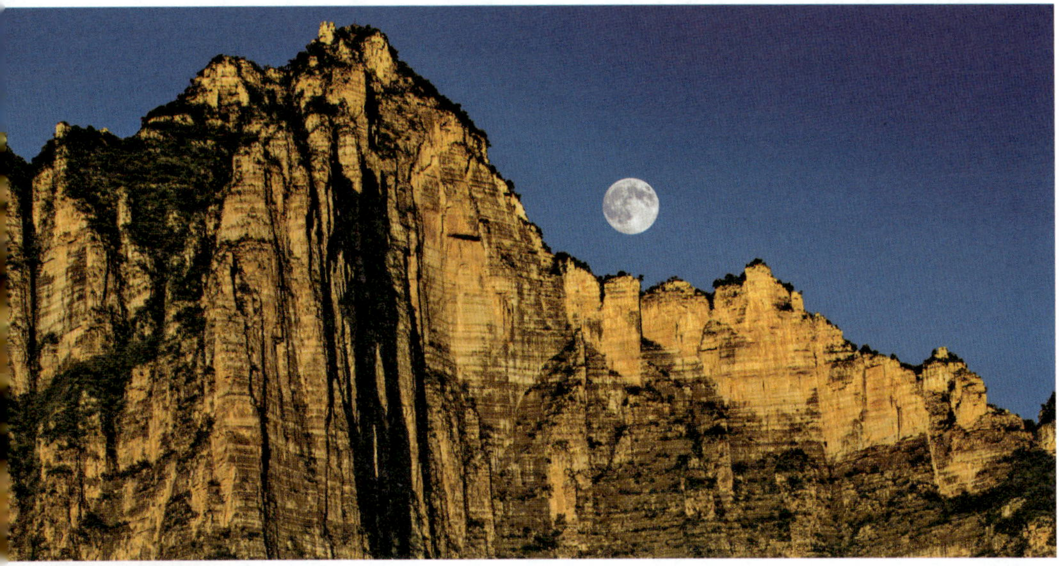
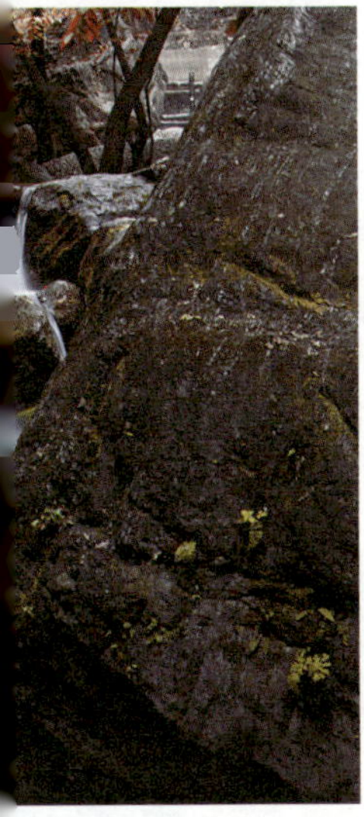
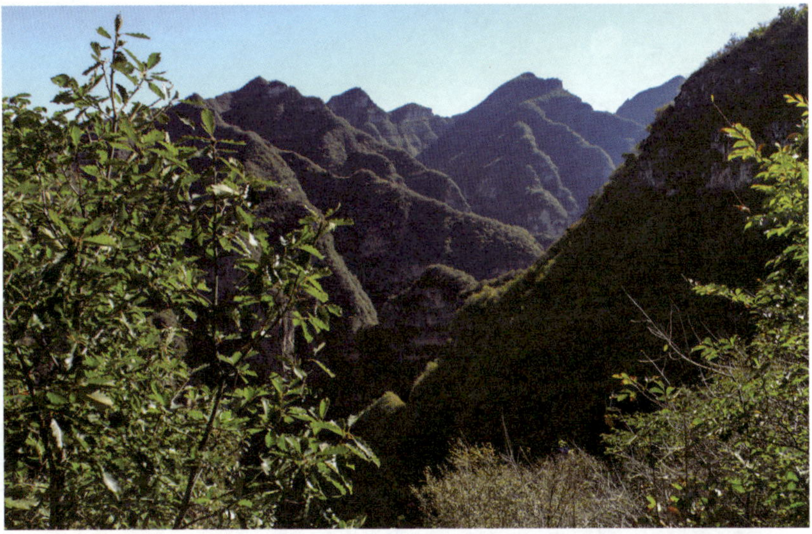
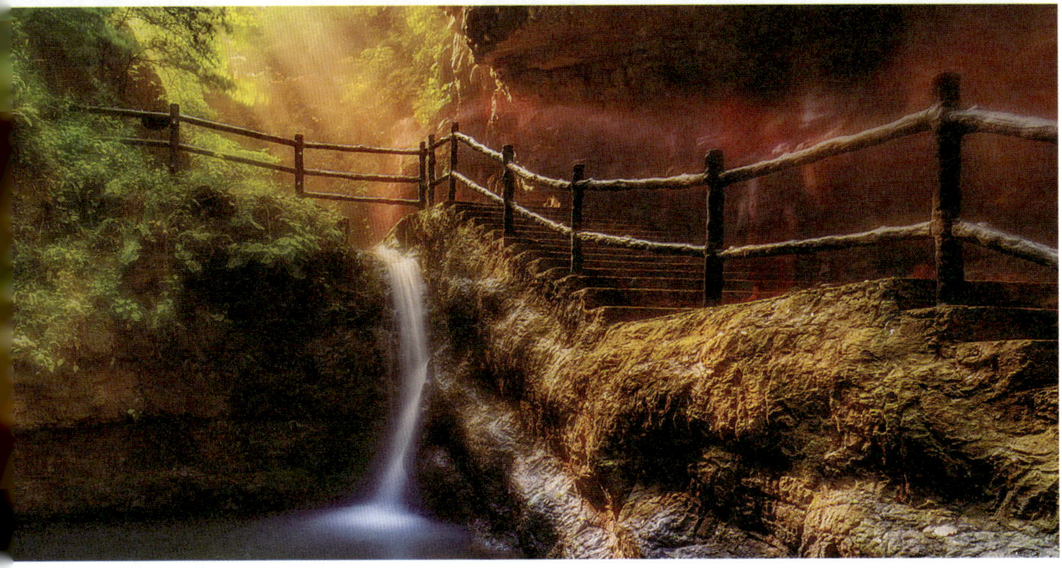

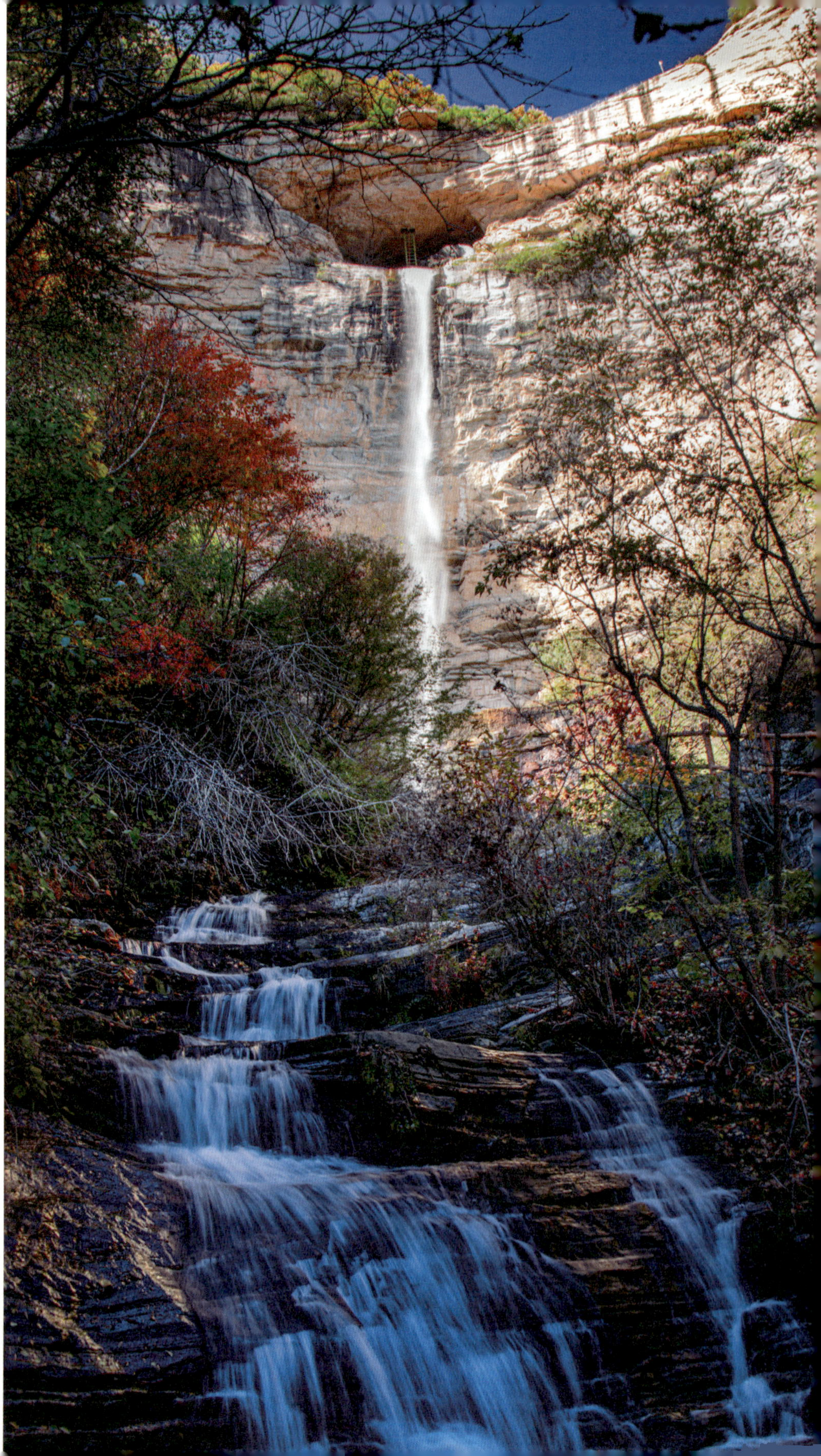

## ■肆 >> 桥为天生■

太行山境内还有一种景观叫天生桥，桥的形成得益于大自然的流水冲刷与风化。那是时间漫长的创造。

阜平天生桥国家地质公园，位于保定市阜平县境内，集中国北方最大瀑布群、中国最大片麻岩天生桥、华北地区罕见原始次生林于一体。一沟九瀑，呈阶梯状相连，最大的瑶台银河飞瀑落差达百余米，飞流直下，气势磅礴。那道高崖之上，耸立着一座天然形成的桥梁。桥梁南北走向，桥上，行人可以自由行走；桥下，清流淙淙。桥的两侧，一边是水落冲蚀而成的石潭，另一边则是万丈深渊。

阜平天生桥，是由瀑流冲蚀而成的。雨水多的时候，奔腾的水流呼啸着从桥洞中飞泻而下，形成百米瀑布，气势磅礴！正如古人所说："地临空阔天成险，水到回旋石作梁。"

◎ 左页图　阜平天生桥／杨丽影　摄

◎ 上图　阜平天生桥瀑布 / 李永清　摄

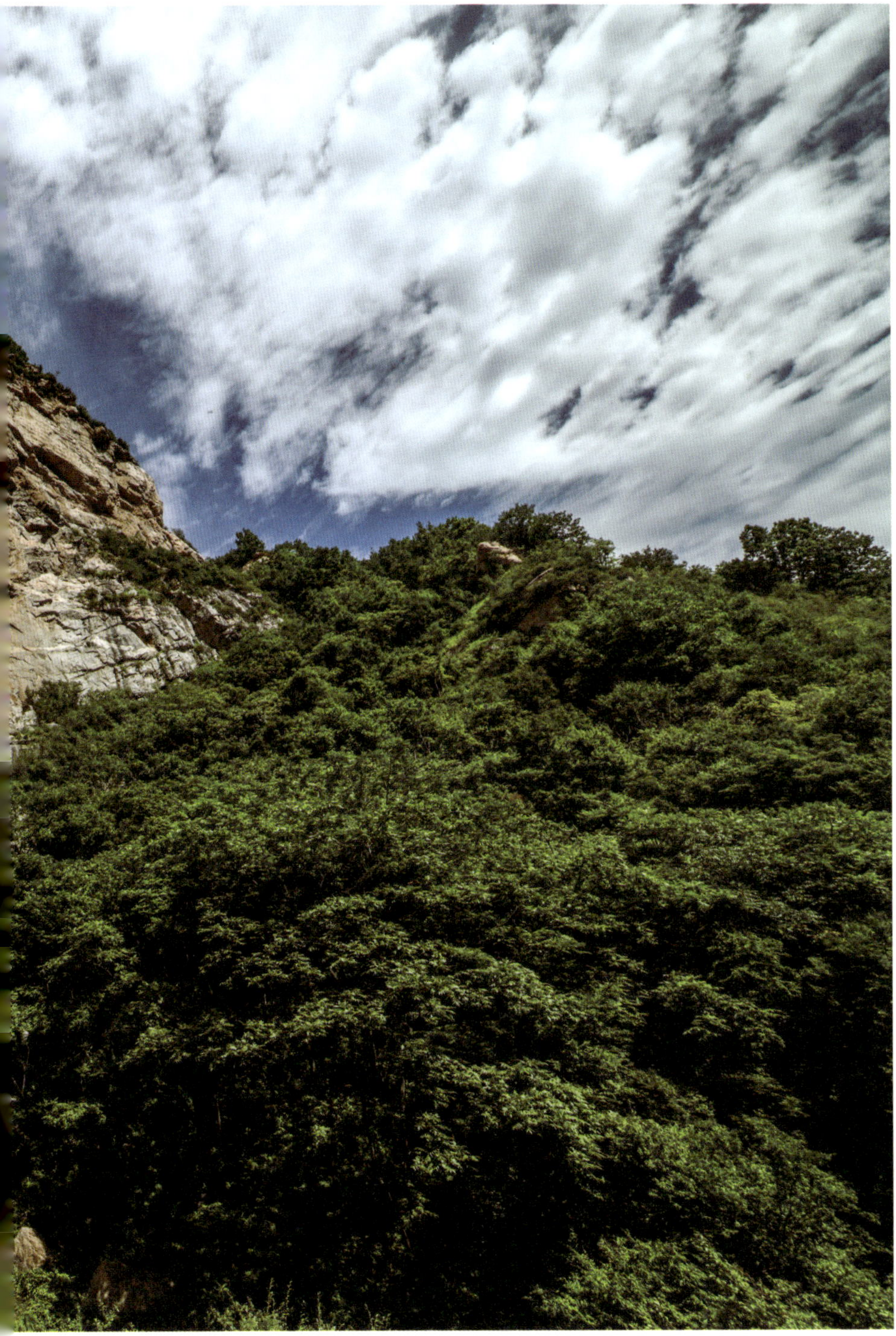

并非所有天生桥都是水流冲蚀而成。

河北有多处天生桥，虽然造型相似，但组成的岩石和形成的动力并不相同。北戴河天生桥发育在花岗岩中，由海水淘蚀形成；青龙祖山和丰宁窟窿山天生桥发育在花岗岩中，承德天桥山、赤城雕鹗等地的天生桥发育在砂砾岩中，由风蚀形成；蔚县飞狐峪、易县南天门、平山天桂山、鹿泉天门洞、涞水野三坡等地的天生桥发育在可溶性岩石中，由河水或地下水溶蚀形成；河北井陉东元庄天生桥发育在黄土中，由地下水潜蚀形成……

这些天生桥,有的屹立在高山之巅,有的镶嵌在山体腰部,有的旁立于河谷两侧。它们的形态,或如长虹当空,或似峰头嵌日,还有的就像天门大开……形态各异,无不令人称奇。

实际上,在燕山深处,如隆化尹家营窟窿山、围场道坝子等地,还未成为景区的天生桥有很多。

走上天生桥,大自然也许会没收我们的妄想,但会留给我们"万丈红尘一杯酒,千秋大业一壶茶"的洒脱和清静。

◎ 下图　隆化尹家营窟窿山／王彩红　摄

山地绵亘

© 易县南天门／视觉中国　供图

第二单元 天成奇境

扫码听书

扫码看视频

第三单元

# 资源丰沃

山地绵亘

## ■ 壹 >> 泥河石器 ■

岩石、空气、水，地球表面的三个基本圈层，构成了生命赖以生存的环境。从漫长的进化史看，人类活动与自然生态达到平衡、统一，才能长远发展。今天，我们回目自然历史，发现巍巍太行、莽莽燕山，以及辽阔的坝上高原，竟为我们带来了那么多独特资源。

**泥河湾遗址群位于河北省张家口市阳原县桑干河畔，以其丰富的哺乳动物化石和人类旧石器遗迹而闻名于世。**

泥河湾遗址的发掘研究，对"非洲唯一人类起源论"提出了具有定向意义的挑战。同时，此地还发现了世界旧石器考古发掘中极为罕见的、距今二百万年前的、可以复

◎ 左页图　俯瞰泥河湾／张亚峰　摄

山地绵亘

◎ 泥河湾／潘辉峰　摄

第三单元 资源丰沃

原的远古人类进食场景。可以说，这一遗址群直接改写了世界关于人类起源和人类文明发展的历史。

人类先祖用大块的石头去砸小块的，或者用小块的去撞击大块的，打制出来的石片，用来当刀；剩下的石核，用来做锤……在泥河湾，出土的石器数以万计。这些原始人手中的工具，承载着他们的生存信息。

马圈沟遗址出土的石器，将泥河湾远古人类活动的历史推进到距今二百万年，为东方人类从这里走来的论点提供了进一步的支撑。

远古人类制作石器为了生存。而后人通过研究，把其视作雕塑艺术的肇始。

"艺术之始，雕塑为先。"

著名建筑历史学家梁思成在《中国雕塑史》中写道："艺术之始，雕塑为先。盖在先民穴居野处之时，必先凿石为器，以谋生存，其后既有居室，乃做绘事，故雕塑之术，实始于石器时代，艺术之最古者也。"

◎ 右页上组图　泥河湾遗址公园 / 赵伟斌　摄
◎ 右页下图　泥河湾春色 / 张利娟　摄

第三单元 资源丰沃

山地绵亘

浊河湾小长城 / 赵伟达 摄

驻足泥河湾，
我们依稀可见东方人类先祖
一路创造、一路走来的身影。

山地绵亘

## 贰 >> 石雕传承

人类很早就对大自然赐予的石头开始雕凿。在历史长河中，这种原初的技艺不断得到提升，把大自然原始的馈赠雕凿得出神入化。

在河北，以曲阳石雕和易砚为代表，人类对于石材的物理加工和利用不断达到新高度。从制作石器到雕刻佛像、砚台的变迁，折射出人类从茹毛饮血不断走向文明的演进。

**曲阳县黄山，是曲阳石雕的发源地。**

黄山属太行山系。这座小山海拔只有三百余米，却以丰富的白色石材，成就了一代又一代曲阳石雕艺人。《曲阳县志》记载："黄山自古出白石，可为碑志诸物，

◎ 左图　曲阳雕刻／贾民义　摄

◎ 右页图　曲阳石雕／贾民义　摄

故环山诸村多石工。"

这些白色大理石原本为普通石灰岩，在地壳变迁中被岩浆挤压和烘烤，重新结晶后变得洁白晶莹，坚韧细腻，成为建筑界所崇奉的汉白玉。据地质学家化验证明，这些纪念碑上的汉白玉浮雕至少能耐风化八百年到千年之久。

### 曲阳石雕最早兴起于汉。

当时曲阳石工即用大理石雕刻碑碣等物。满城汉墓出土的五尊汉白玉男女俑以及曲阳北岳庙内的石虎，就是其中的代表。不过，初始阶段的这些作品，大多"依石拟型""古拙简约"。

1954年，曲阳修德寺遗址出土了多件白石造像。其中，刻有年款的石像显示其时间跨度自北魏至唐。在五六世纪之交，中国雕塑艺术迎来一个高峰：大同云冈、洛阳龙门、甘肃敦煌……我国广阔地域上，留下了众多摩崖石窟。邯郸市峰峰矿区的响堂山石窟，也始凿于彼时。

由此可见，石雕承载了人们对历史的铭记、对信仰的追求。

第三单元 资源丰沃 137

## 叁 >> 易砚考究

在一家工厂易砚磨制的工作台前，几位艺人一字排开，双手紧握住刻刀前段，肩窝顶住长长的刀柄，刀刃划过石材，一层岩屑泛起……一刀接着一刀，原本其貌不扬的石材，逐渐露出了精美的新容颜。

这是一场"力"与"美"的转化。易砚之所以为易砚，不仅仅因为砚石产自易县，更重要的是，它是易县的制砚艺人们一刀一刀刻出来的。

易县制砚的石材，主要有两种：一种是产自黄龙岗的紫翠石，紫红色质地，局部会有浅色的圆形斑点；另一种是产于西峪山的玉黛石，绿、灰、白、紫等颜色均匀分布形成纹理。

两种岩石均属泥质沉积岩，分别形成于距今五亿多年前的寒武纪和震旦纪。对于地球用五亿多年沉积所赋予的

◎ 右页上图　易砚/《风华河北》供图
◎ 右页下图　易砚（长城石砚）/汇图网　供图

乾坤朝陽

这份独特馈赠，这片土地上的人们，用手中的刀凿，赋予了其灿烂的新生命。

易县制砚的源头，最初多认为在唐朝，但迄今并未发现直接的史料记载和实物。不过，史籍记载，易县人奚超、奚廷珪父子在当时就以制墨而闻名。

2006年，为建设南水北调中线工程而进行的一项考古发掘中，在易县塘湖镇北邓家林东汉墓葬区发掘出的两块石板，则将易砚的历史推进到了东汉。

两块石板，均长十四厘米有余，宽七厘米左右，厚不及一厘米。最神奇的是，石板中部微凹，四周还残留有墨色痕迹。

◎ 下图　易砚/《风华河北》　供图
◎ 右页上图　易砚（鱼趣）/汇图网　供图
◎ 右页下图　易砚（山林树石砚）/汇图网　供图

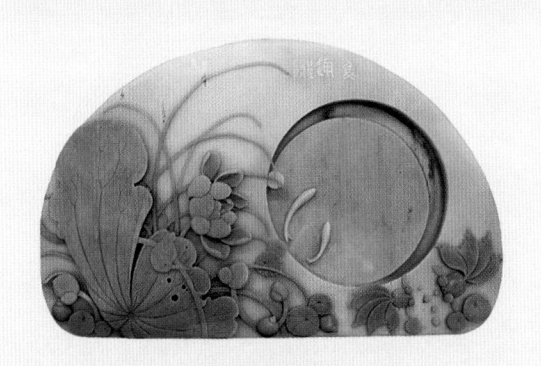

另有一块研石，方底，圆纽，条纹与当地出产的玉黛石条纹一致。

专家鉴定，这是迄今发现年代最早的易砚，也让易砚成为我国目前出土的具有明确纪年、明确石种的古老砚种之一。

展示在易县博物馆中的这两件文物让人们对砚有了新的认识：最早的砚台没有砚池，只是一块平板；磨墨也要使用专门的研石。所以，有文字专家说："其实最早的砚，就是写成'研'的。"

由砚生墨，墨落纸上，这是人类文化的足迹。

## ■肆 >> 奇石纷呈■

石头，平静地躺在杂草丛中，一副地老天荒的模样，默然无语，目光凛然，清冷、粗糙、沉着是它们的生命本色。

**河北有几种特殊的石头，叩开了地理的种种玄机。**

太行山中的雪浪石。其基质是灰黑色、黑色的片麻岩，其中分布着长石、石英组成的白色条带以及这些矿物颗粒形成的云雾状斑点。太古代形成的这种深变质岩，以其流畅的线条纹理、肃穆古朴的花纹触动了人们的审美之心。

除了雪浪石，还有遵化的千层石、漳河的古陶石、沙河的波痕石、滹沱河的龟裂纹石、桑干河的桑干石、滦河的林景石、唐河的彩玉……

"花如解语应多事，石不能言最可人。"石头上，那些天造地设间被赋予的形状、颜色、条纹，如同施了魔法，让人欲罢不能。

◎ 右页图　张家口宣化桑干河大峡谷／视觉中国　供图

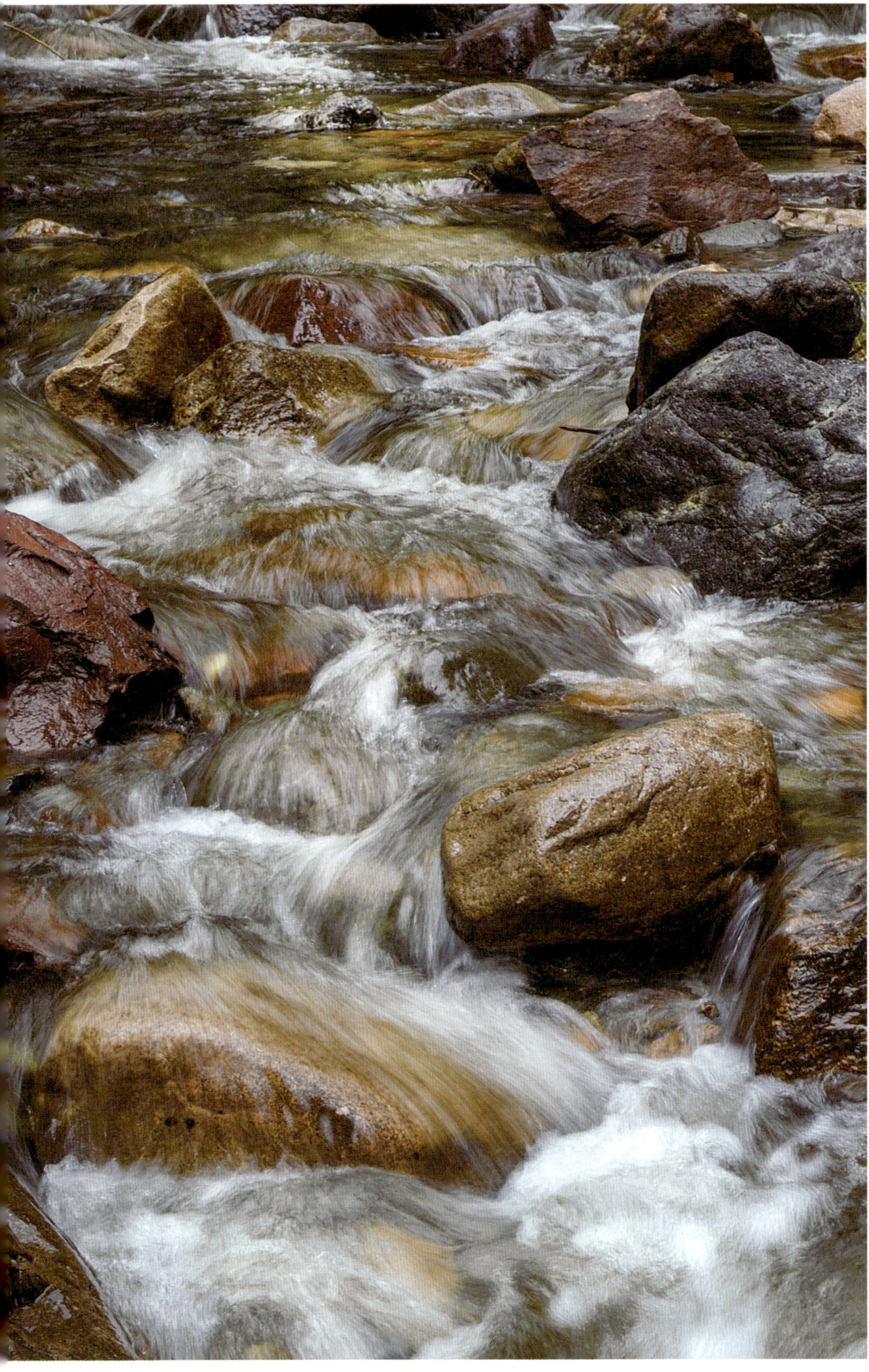

山地绵豆

产自张家口市万全区的橄榄石，磨制后可以制成项链、戒指、胸针、耳坠等，一度出口韩、日等国。康保的肉石色形俱佳者，足可以假乱真。崇礼的太阳宝石，来自比地壳更深的地幔，是火山运动给河北带来的一种精美赏赐。宣化西部山地中，也蕴藏着一种同样来自火山的赏赐，剖开这些石块，有实心的，也有空心的；有的长满水晶，形成晶洞；有的填满玉髓，色彩斑斓。这就是宣化玛瑙。自新石器时代起，古人就把它磨成珠，穿成链，还常配以水晶、绿松石，做成饰品。

## 大自然是巧夺天工的艺术家，赋予人类千奇百怪的石头。

河北的石头为我们造就了燕山和太行，造就了高山大川，给予我们栖居之地别致的壮美。而那些藏匿山川之中的奇石，浑然天成，闪烁着宝藏之光，呈现出自然而然的意境之美、另类之美，给了我们生活以绝美装点，同时开启了我们追求美的心智。

虽然石头默然无语，但我们却能听到它们无声地述说着前尘过往，从而听到时间的声音，听到燕赵大地的悠悠古韵！

◎ 左页左上图　康保五花肉奇石／视觉中国　供图
◎ 左页左下图　玛瑙雕刻品／视觉中国　供图
◎ 左页右上图　玛瑙水晶项链／视觉中国　供图
◎ 左页右下图　悬挂的绿色晶石／视觉中国　供图

扫码听书

扫码看视频

第四单元

# 清凉世界

山地绵亘

## 壹 >> 避暑胜地

河北的燕山—太行山一线，随着海拔、纬度升高而呈现出一处处"清凉世界"。

**承德避暑山庄地处内蒙古高原与华北平原的过渡带，属温带大陆季风性山地气候，四季分明。**

冬天虽然寒冷，但由于四周环山，阻滞了来自内蒙古高原寒流的袭击，故温度要高于其他同纬度地区；夏季凉爽，雨量集中，基本上无炎热期。

◎ 左图　俯瞰承德避暑山庄／李承芸　摄

承德避暑山庄始建于1703年，历经清康熙、雍正、乾隆三朝，耗时八十九年建成。避暑山庄以朴素淡雅的山村野趣为格调，取自然山水之本色，吸收江南塞北之风光，是中国现存占地最大的古代帝王宫苑。避暑山庄分宫殿区、湖泊区、平原区、山峦区四大部分，整个山庄东南多水，西北多山，是中国自然地貌的缩影，是中国园林史上一个辉煌的里程碑，是中国古典园林艺术的杰作，是中国古典园林之最高范例。

◎ 承德避暑山庄瑞雪／马丽华 摄

第四单元 清凉世界

山庄的气度和从容，令人感叹：层层叠叠的宫殿只占前面一小半，后面更加开阔的，是湖泊区、平原区和山峦区。其中，山峦区占了整个山庄面积的八成左右。而这种东南多水、西北多山的格局，恰是中国自然地貌的缩影。

**正是这份山水，塑造了山庄的"无暑清凉"。**

据说，海拔平均每升高一百米，气温要下降约0.6℃。这是对流层大气圈内，气温随海拔升高而呈现出的规律性变化。也恰是这种规律性变化，让河北的燕山—太行山一线，呈现出了夏季凉爽的气候特征。河北山区7月份平均气温在17℃～24℃之间，因而形成了大范围的天然避暑带。

石家庄驼梁和五岳寨、承德雾灵山都是人们趋之若鹜的消夏避暑胜地。

太行山和燕山有如此之多的避暑之地，而且到处有诗意，随时有物华。当身心浸润于清凉的山水之间时，谁不感恩大自然之馈赠？

◎ 右页图　雾灵山／李起业　摄

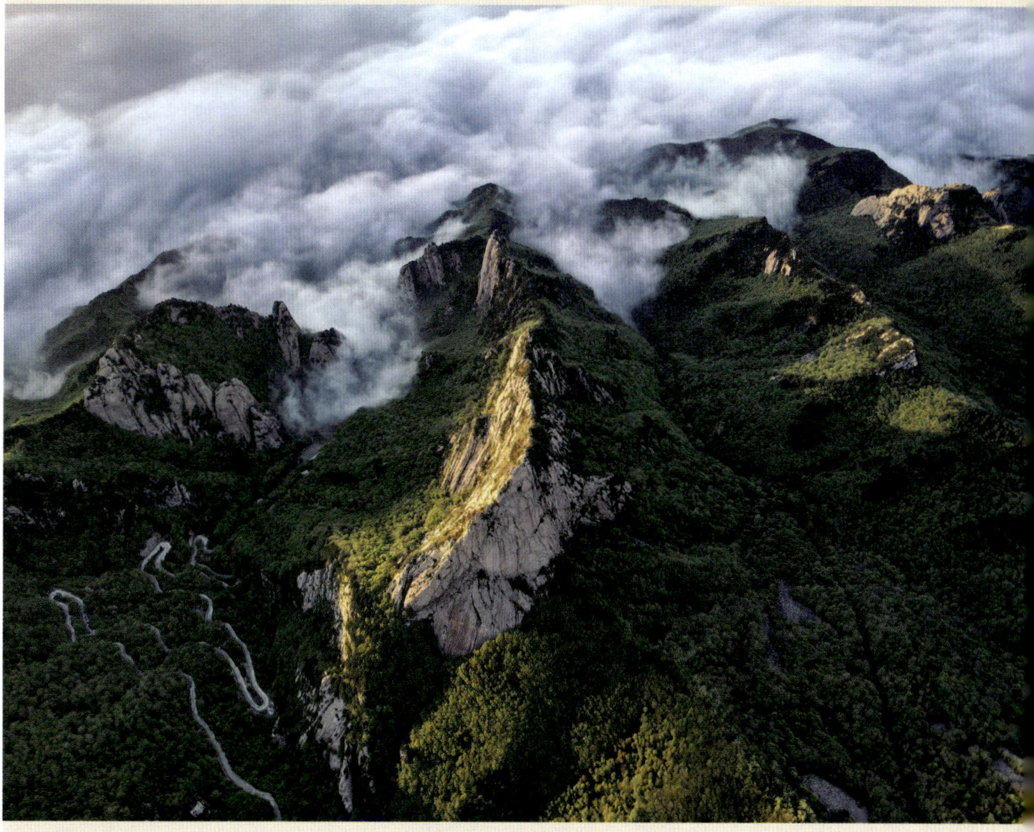

## 贰 >> 高原消夏

在沽源,即便太阳晒着,一起风也立马凉爽。

凉和爽,是两种体表感受。前者只要气温低即可,而后者,则是适宜的气温、气压、湿度对身体感觉综合作用的结果。

**气候要素对人体的生理影响,不仅仅表现在体感温度和热量交换方面,湿度和气压与人体感受也关系密切。**

沽源之所以成为消夏之地,就是多种因素叠加的结果。

沽源位于河北省张家口市坝上地区,北靠内蒙古,东依承德,南临北京,西接大同,是内蒙古高原

◎ 坝上(沽源)/视觉中国 供图

清凉世界

第四单元

向华北平原过渡的地带。历史上沽源曾是北魏御夷镇,也是辽、金、元三代帝王的避暑胜地,著名旅游区有天鹅湖、冰山梁、五花草甸、老掌沟等十余处。

从平原上坝,气温会随海拔升高而下降。沽源平均海拔在一千五百三十六米,年均气温2.1℃,夏季平均气温17.9℃。

研究表明,最适合人类生存的大气压范围是750百帕~950百帕,沽源所在的坝上高原年均气压值为880百帕,正处于人体舒适区。

河北地形独特,从坝上高原到冀北山地,从太行山—燕山一线到渤海之滨,表现出了多样清凉性,为我们消夏提供了多个去处,可尽享清凉。

◎ 右上左图 沽源五花草甸/视觉中国 供图
◎ 右上中图 沽源冰山梁/视觉中国 供图
◎ 右上右图 沽源老掌沟/视觉中国 供图
◎ 右下图 沽源坝上草原/周明星 摄

第四单元 清凉世界

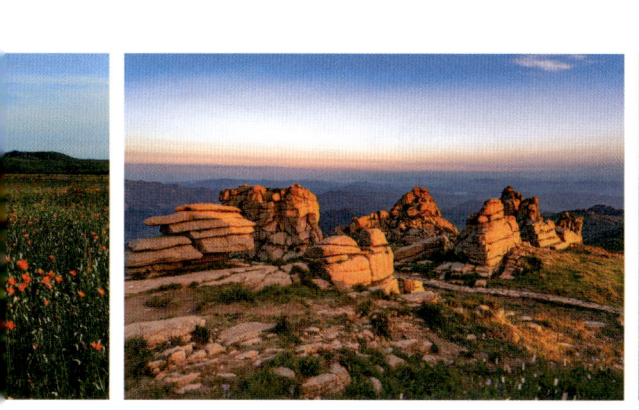

## ▌叁 >> 冰雪运动▐

2022年北京冬奥会让崇礼大放异彩，崇礼也因此成了全球冬季运动版图上的一个新地标。

在北京冬奥会国家跳台滑雪中心有一个跳台滑雪场地。从外观上看，它就如同一件巨大的玉如意被斜置在山坡之上，人们形象地称其为"雪如意"。

当初选址时，人们在古杨树村北找到了这个山谷。这里自然落差有一百三十多米，正适合用作赛道。它两边耸起的山脊，还恰好能把跳台滑雪项目最怕的风给挡住。

北京冬奥会的雪上项目，多在崇礼举办。"雪如意"所在的古杨树村，还建有国家冬季两项中心、国家越野滑雪中心。而向北数公里外的云顶滑雪公园，则是自由式滑雪、单板滑雪的赛场。

◎ 右页图　雪如意／视觉中国　供图

第四单元 清凉世界 159

山地绵亘

滑雪场建设，在山地的坡向、坡度、垂直落差、空间体量等方面都有着特殊的要求。

**历届冬奥会的举办地都集中在北纬41°附近，而崇礼也恰好位于这一黄金滑雪地带上。**

崇礼的山形地貌、气候条件、天然降雪状况等，都十分适合滑雪。这个对崇礼发展冰雪运动优势条件的初步判断，以更加系统的方式写进了申办冬奥会的报告中——崇礼丰富山形地貌所造成的独特"小气候"。这个判断也在进一步的研究中逐步明了，"冬季降雪早，存雪期长；积雪厚，降水量大；温度、风速适宜；空气质量优良……"

崇礼区夏季凉爽而短促，气温比较稳定，昼夜温差较大，是休闲避暑的天然氧吧。冬季平均气温-12℃，平均风速仅为二级，降雪早，全年积雪一米五左右，存

◎ 左页上左图　崇礼万龙滑雪场／刘建中　摄
◎ 左页上右图　崇礼的滑雪场／方四成　摄
◎ 左页下图　崇礼的滑雪场／吴社军　摄

雪期一百五十多天，雪质参数符合国际滑雪标准，被专家誉为中国发展滑雪产业的理想区域。

摊开地形图可以发现，阴山余脉大马群山向西南伸出的座座山梁，将崇礼的版图分隔成了三条大沟。不过，与全省的地貌版图相反，崇礼的地势，东南高、西北低。这就意味着冬季来自西北方向的冷空气进入崇礼后，会不断遭遇山势阻挡，遇到山谷会加速下沉，遇到山坡会减速爬升。冷气流在不断下沉、爬升的波状起伏中，历经多次减速之后，最终在崇礼东南部区域滞留，并与来自东南方向的水汽汇合，从而形成了多发性的降水。

也恰是这样的因素，让崇礼东南部区域一进冬季，空中的水汽就完成了生命形态的嬗变，雪花如期而至，将雪道、山岭以及树木全部融进一幅水墨画之中。这里就变成了"雪国"。

© 崇礼万龙滑雪场/视觉中国　供图

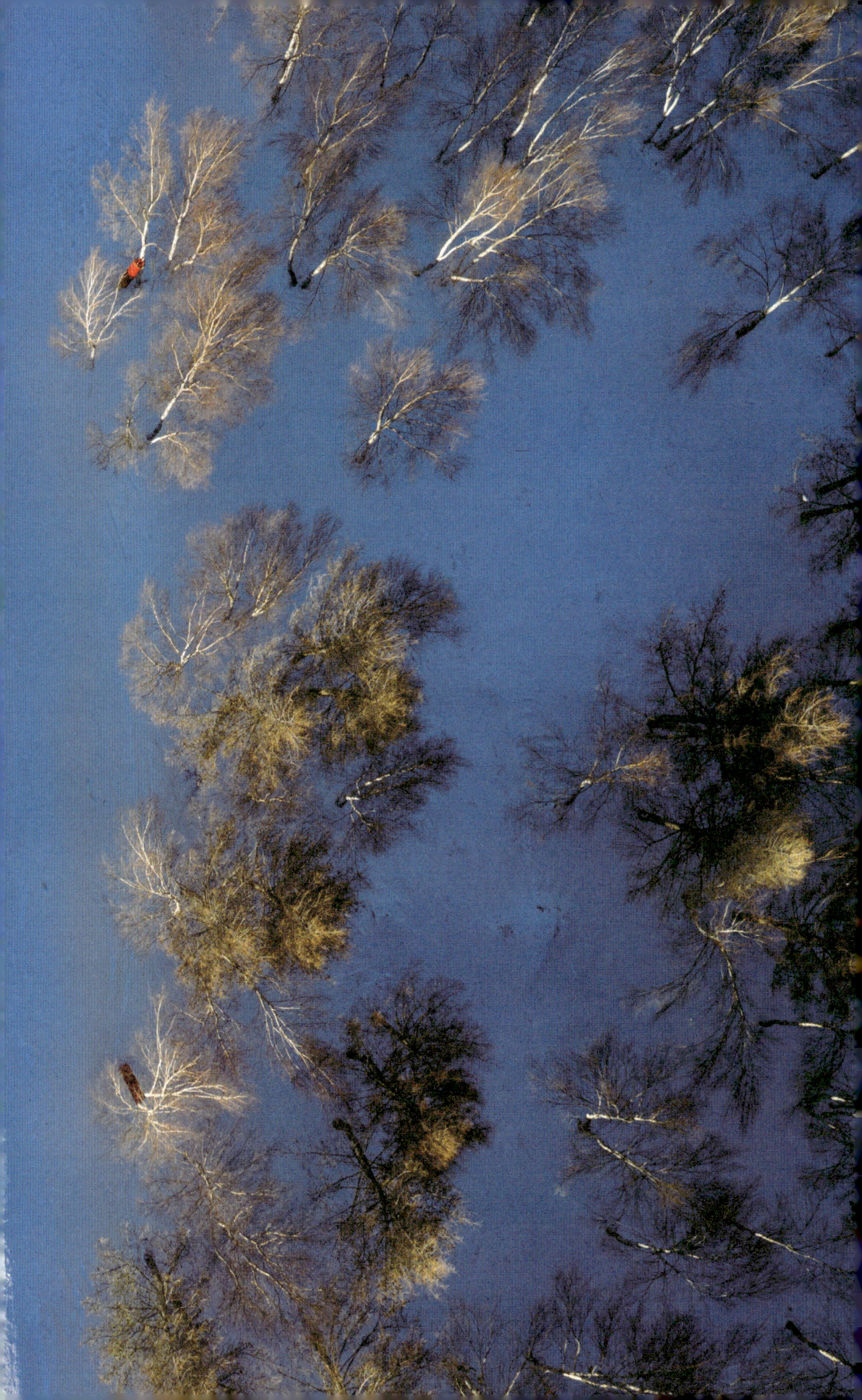

> 而今，崇礼已经涌现出了一个高端滑雪场集群：万龙、太舞、云顶、富龙……

崇礼进入雪季后，飘飘洒洒的雪花，落在红叶上，落在尚未衰败的野花上，落在那一条条雪道上，成为滑雪爱好者的天堂。

延崇高速和兴延高速连接而成的京礼高速，拉近了崇礼和北京的距离。京张高铁及崇礼铁路的建设，则为崇礼带来更大的发展机遇。张家口宁远机场改扩后，为更远途游客的到来提供了便利。

有人在雪道上激情驰骋，也有人站在燕山之上看冰封雪锁的大山。冰雪运动似追梦之旅，升腾着幸福。

冰雪运动实现了从小众向大众，从区域向全国，从冬季向全年的转变。冰雪运动场地设施加快建设，大众冰雪运动参与人数大幅增加，冰雪运动在广大青少年中快速推广，冰雪运动竞技水平跨越式提升，冰雪运动的人才队伍日益壮大。这不仅有益于增强人民体质，也为世界冰雪运动的创新性发展提供了中国智慧、中国方案。

◎ 右页上图　雪山初春／吴社军　摄
◎ 右页下图　崇礼的滑雪场／视觉中国　供图

# 第四单元 清凉世界

河北大地上，燕山、太行山蜿蜒起伏，巍峨嶙峋，气势磅礴。春夏秋冬，冷暖分明，花与冰中蕴藏的诗行，呈现着它们那深邃而富有的内涵：燕山、太行簇拥祖国心脏，燕赵儿女志在四方，勇于拼搏，追逐梦想，敢于担当，踔厉奋发，正用磅礴之力谱写中国式现代化建设河北篇章。

◎ 崇礼的滑雪场／周明星　摄

清凉世界

© 崇礼雪山脚下／相恩余　摄

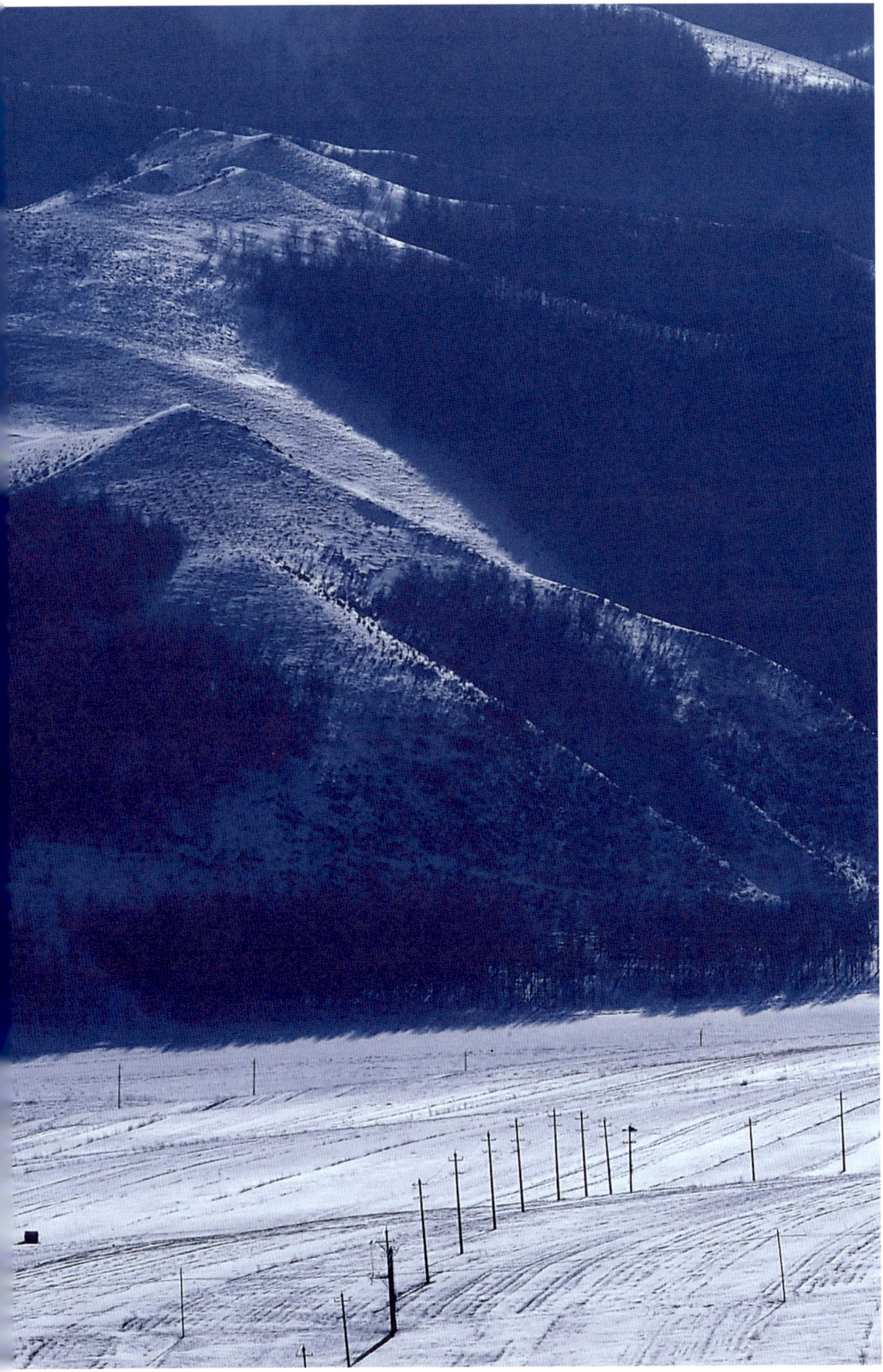

扫码听书

扫码看视频

第五单元

# 冀景撷英

# 鸡鸣山

◎ 下图　鸡鸣山春色／刘建中　摄
◎ 右页图　日落鸡鸣山／视觉中国　供图

鸡鸣山位于河北省张家口市下花园区。据《怀来县志》与《大明一统志》的记载，唐代贞观年间，东突厥侵扰中原，边民不得安宁，太宗李世民亲征，驻跸此山，夜闻山上有鸡鸣声，故称鸡鸣山。此山被誉为"京西第一孤峰"。

# 狼牙山

狼牙山位于河北省保定市易县西部的太行山东麓，属太行山脉，因奇峰林立，峥嵘险峻，状若狼牙而得名。狼牙山景区内有莲花峰、棋盘坨、石棋盘、蚕姑祠等景点，是一座国家级森林公园，也是河北省省级爱国主义教育基地。

◎ 下图　平分秋色/王芳　摄
◎ 右页上图　丰碑/王芳　摄
◎ 右页下图　依山傍水/商仕佳　摄

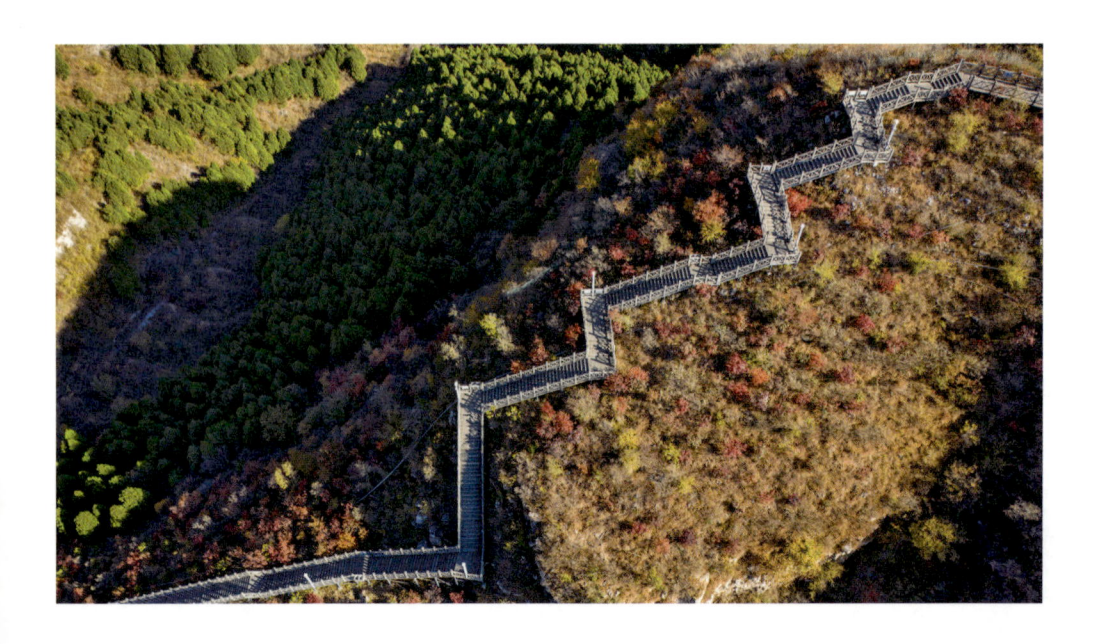

冀景撷英 第五单元 175

山地绵亘

# 天桂山

◎ 下图　天桂山金秋／徐广　摄
◎ 右页上图　天桂山金顶／韩国堂　摄
◎ 右页下图　天桂山春色／赵明明　摄

天桂山位于河北省石家庄市西北的平山县境内。它山势挺拔，融山泉林洞于一体，集雄、险、奇于一身，林繁花茂，古刹重重，在整个太行山中都是佼佼者。

# 景忠山

景忠山位于河北省迁西县境内,素有"京东名岫"之美誉。它的自然景观秀美旖旎,历史文化源远流长,宗教文化博大精深。"三忠供一庙,一殿奉三仙",描绘的即这座雄踞冀东、孤峰独秀的名山。

◎ 右页上左图　景忠山春色 /《生态河北》 供图
◎ 右页上右图　景忠山山顶寺院 /《生态河北》 供图
◎ 右页下图　俯瞰景忠山 / 王爱军　摄

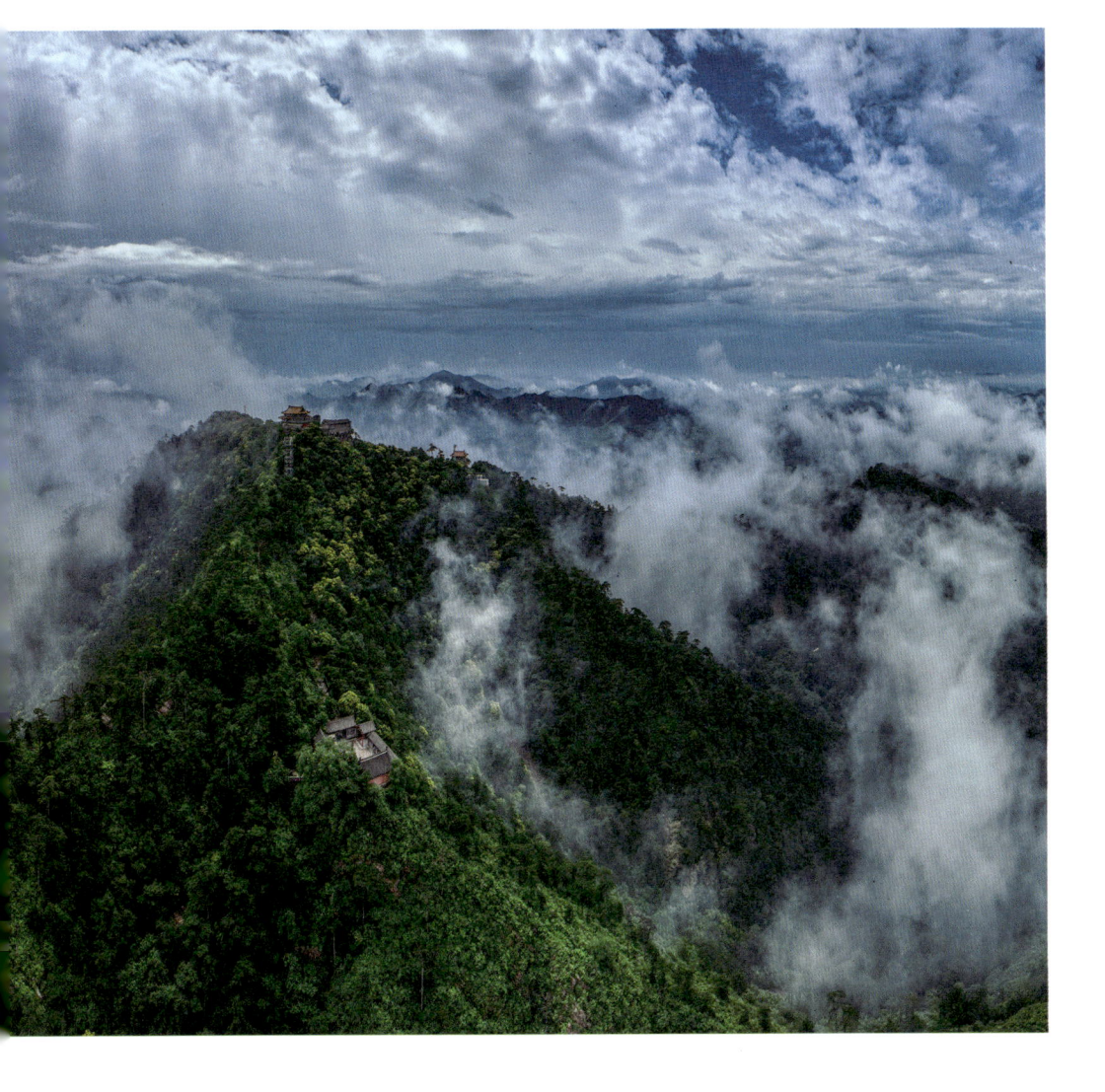

# 冀景撷英

## 第五单元

# 碣石山

◎ 下图　俯瞰碣石山／视觉中国　供图
◎ 右页上图　碣石山顶峰／视觉中国　供图
◎ 右页下图　远眺碣石山／视觉中国　供图

碣石山位于河北省昌黎县城北，横跨卢龙、抚宁、昌黎三县，北接燕山高峰大岭。主峰是仙台顶，山中有古刹"水岩寺"，峭壁有古人镌刻"碣石"二字。古有曹操赋千古名篇《观沧海》于此，今有四时胜景无穷。

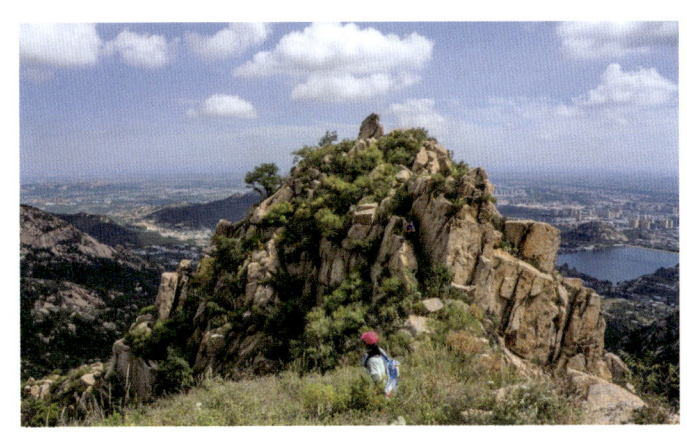

# 抱犊寨

抱犊寨，旧名碧山，位于河北省石家庄市鹿泉区境内，是一处集自然景观与人文景观于一体的旅游景区。它东临华北平原，西接层峦叠嶂的巍峨太行山，山体轮廓奇特，一峰突起，四壁如削，素有兵家战场、人间福地、天堂幻觉、世外桃源的美誉。

◎ 右页上左图　抱犊寨南天门／视觉中国　供图
◎ 右页上右图　抱犊寨城垛／王寒飞　摄
◎ 右页下图　抱犊寨风光／视觉中国　供图

第五单元 冀景撷英 183

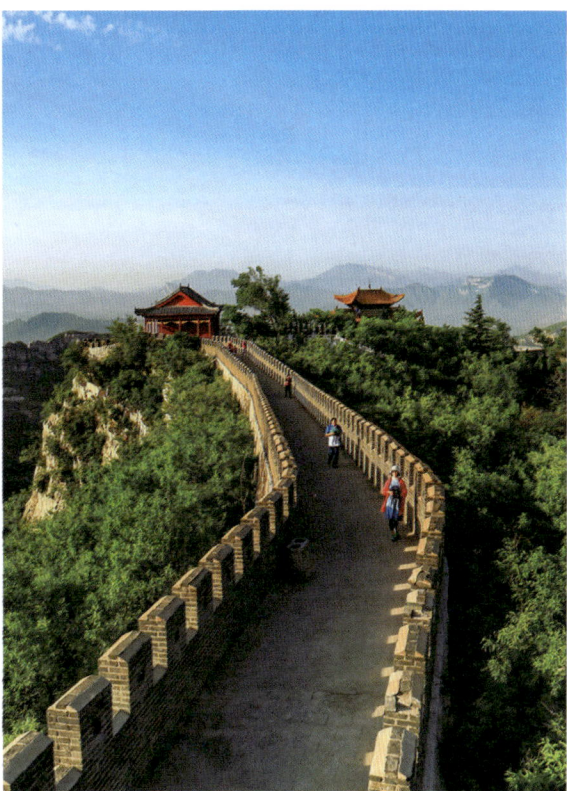

# 嶂石岩

嶂石岩，国家4A级旅游景区，国家地质公园，为我国三大砂岩地貌之一。其中天然回音壁、冻凌玉柱、雾洞、佛光为"嶂岩四绝"；晴天飞雨、石乳灵泉、云崖撒珠、银瀑落湖为"嶂岩水景四绝"。

◎ 下图　嶂石岩九女峰／视觉中国　供图
◎ 右页上图　云雾嶂石岩／王峰　摄
◎ 右页下图　嶂石岩地貌／李现雨　摄

第五单元 冀景撷英